障害者の親亡き後プランパーフェクトガイド

障害のある子をもつ親が安心して先立つためにも

前園進也

ポット出版プラス

目次

ステップ5

親亡き後の資金をどう残すか……115

はじめに

「親亡き後に備える7つのステップ」はどのようにして生まれたか

私には、重度知的障害の子どもがいます。
3歳になるころ、主治医から診断が下されました。

診断が下されるまでの私は、わが子の発達の遅れから目を背けていました。
知的障害であれ発達障害であれ、3歳になるまでは確定診断が出にくいと聞いていましたし、健常児を育てる親御さんの「うちの子どもも、言葉が出るのは遅かったから大丈夫だよ」などのはげましの言葉にすがったりもしていました。
1歳半検診の前から発達の遅れを心配し、いろいろと動いている妻の姿を見ながらも、わが子の障害に向き合うことを避けていたのです。
このような私も、子どもが3歳をむかえるころには、ようやくわが子の発達の遅れを受け入れるようになりました。主治医の確定診断が出たのもちょうど同じころです。
それからは療育手帳や特別児童扶養手当の申請、障害者扶養共済の申し込みなどの手続きを一気におこないました（児童扶養手当や障害者扶養共済については、のちに詳しく紹介）。

わが子の障害から目を背けることができなくなった私が真っ先に考えたのは、「私たち両親が死んだあと、この子はどうやって生きていくのだろうか?」ということです。
この問いに対する答えを求めて、障害者の親亡き後に関する書籍、セミナー、インターネットなどで情報を集めました。

その結果、障害者の親亡き後の備えのために役立つ法制度がいくつかあることがわかりました。これらの法制度については弁護士という職業柄、すぐに理解できました。

しかし、いくら情報収集をしてもよくわからなかったことがあります。
それは、次の2点です。

(1) 私たち親が死んだあと、本人が亡くなるまでに、どれくらいお金が必要なのか。
(2) 障害者の親亡き後の備えは、何から手をつければいいのか。

障害者の親亡き後に関するセミナーや講演の質疑応答で、私と同じような疑問を講師に投げかけている人をよく見かけました。ですので、私のような疑問を抱いている人は決して少なくはないのでしょう。

調べてもわからないのであれば、自分で考えるしかありません。その結果として生まれたのが、本書で紹介する「障害者の親亡き後に備えるための7つのステップ」です。本書は、私が抱いた2つの疑問に対する、私なりの回答です。

具体的には、次のようなステップとなります。
(1) 障害者の収入には何があるのかを明らかにする
(2) 障害者の支出には何があるのかを明らかにする
(3) 障害者の親亡き後に残す金額を算出する
(4) 障害者の親亡き後の資金をどう蓄えるか決める
(5) 障害者の親亡き後の資金をどう残すか決める
(6) 障害者の親亡き後の財産をどう管理するか決める
(7) 障害者の親亡き後のプラン（1～6のステップ）を実行する

先に「弁護士という職業柄、親亡き後に役立つ法制度についてはすぐに理解できた」と書きましたが、反対にいうならば、わが子の存在がなければ障害福祉に関する法制度について、ここまで詳しくなることはなかっただろうと思います。

弁護士を生業にしている者ですら（もともと障害福祉を専門にしていない限りは）そうなのですから、いわんや専門家でもない方にとっては、法律や制度を自分で調べて理解するのはハードルが高いことだろうと思います。

そのため本書では、制度の難しい言いまわしや、法律の条文をそのまま引用することは避け、私自身の言葉で言い換えたりかみくだいたりしながら説明するように努めました。法律の条番号も基本的には記載していません。

一部、読者のみなさんの参考になるだろうと思ったものについては、法律の要旨を掲載したり、条番号や資料名を記載したりしています。

障害をもつ子の親は、死ぬまで「障害者の親」でいなければならないのか？

ここまで、7つのステップが生まれたきっかけについてお話ししました。

本書全体を通しての私の考え方についても、まえがきでふれておこうと思います。

障害をもつ子どもを育てる親御さんからは、

「わが子が亡くなった後に死にたい」

「子どもより一日だけでいいから長生きしたい」

という声を聞くことがあります。私の妻も似たようなことを言っていました。

まさにわが子の「親亡き後」への不安・心配からの言葉でしょう。私も同じ立場として、そう思ってしまう気持ち自体は理解できます。

しかし同時に、違和感も覚えるのです。
これが、健常者の子どもをもつ親だったらどうでしょうか。
おそらく「子どもが亡くなった後に死にたい」と思う人は少ないと思います。
むしろ「子どもが一人前になって、自分の力で生きていけるようになるまでは死ねない」と考える親が一般的だと思います。健常者の親たちは、子どもを死ぬまで世話し、面倒を見るという考えを前提にしていないからです。

つまり、一人の子どもの親であるという立場は変わらないのに、たまたまわが子が障害をもって生まれてきたというだけで、障害者の親たちは死ぬまでわが子の世話をし、面倒を見ることが一般的にもまかり通っているし、本人たちの中にも当然だと思っている方がいるということです。
これは、とてもおかしなことではないかと私は思います。

私は、自分が死ぬまで「障害者の親」としてわが子を世話し、面倒を見るという未来を望んではいません。
私たち親がいなくても、うちの子はなんとか人並みに生きていけそうだと安心して死んでいきたいです。
そしてできることなら、自分が元気なうちにわが子の世話や介護から解放されて、第二の人生を妻とともに楽しめたらと思っています。

こうした未来をただの夢物語で終わらせないためには、親の手をかりなくても子どもが生きていける準備をととのえなければなりません。
そのために必要なのが法制度の活用です。「親亡き後」を考えるというのは、自分たちが死んだ後の話だけではなく、自分たちが生きているあいだに子どもを一人立ちさせることにもつながるのです。
本書では、ステップ1からステップ7をとおして、障害をもつ子どもが自立して生きていけるための法制度を取り上げて、そのメリット・デメリットを検討していきます。制度の利用方法などの細かい情報や、対象となる読者が限られる話題は「深掘りコラム」にまとめました。
　また293ページには計算シートを掲載しています。みなさんのご家庭の親亡き後に必要な金額がいくらかを具体的な計算式で導き出しながら、親亡き後の準備について考えていきましょう。
　さらに、ステップ7には参考としてわが家の例を挙げ、さまざまな法制度の中からわが家に適しているものは何か、なぜそれを選んだかを解説し、プランの立て方を示しました。本書が法制度の理解だけではなく、具体的にどう現実に落とし込むかという点でも役立つものとなればうれしいです。

　そして願わくば読者のみなさんが、健常者の親と同様に、わが子が成人をむかえたら「障害者の親」を卒業し、親は親自身、子どもは子ども自身の人生を歩んでいく未来を思い描けるようにと思います。本書がその一助になれば幸いです。

ステップ1

障害者の収入には何があるのか

●計算式

収入予測額＝障害年金＋就労による収入＋その他の手当による収入

障害者のおもな収入源

親亡き後の備えの第一歩、ステップ1は「親亡き後に、障害者の収入がどれくらいになりそうか」を予測することです。

健常者のおもな収入源は、就労による収入でしょう。一方、障害者の場合は「就労による収入」の他に「障害年金」がおもな収入源に加わります。フルタイムで働くことが困難な障害者の場合は、障害年金による収入のほうが、収入全体に占める割合は大きくなります。

障害をもつわが子が20歳未満で、まだ仕事に就いていない、障害年金をもらえていない方は、これから障害者の収入の現状を詳しく解説しますので、おおよその収入額を把握してください。

障害をもつわが子にすでに「就労による収入」または「障害年金による

収入」がある方は、実際の収入額から計算しましょう。もっとも、「本人が将来仕事を続けていられるかどうかわからない」など、現実的には正確な予測は難しいと思います。

しかし、ここではだいたいの目安をつかむため、障害者の現在の収入とその内訳を明らかにしたうえで、その収入が将来において大きく変わらないという前提で考えていきます。以下の説明は必要に応じて読んでいただき、ステップ3の「親亡き後に残す金額の算出」へ進んでください。

障害基礎年金による収入

障害年金とは何か

障害基礎年金について詳しく見ていく前に、まずは、年金とは何なのかという話から始めましょう。

障害だけでなく、老齢や一家の大黒柱の死亡などによって収入が減る、というのは誰にでも起こり得ることです。国民年金は、そうした事態に備えて加入者が年金保険料を出し合い、年老いたり障害を負ったりした加入者に対してお金を支給することで、収入減を解消することを目的としています。このようなしくみのことを「社会保険」といいます。健康保険、労働保険（労災保険と雇用保険）なども同じしくみです。

そのうち、障害により生活や仕事などが制限されるようになった場合に受け取れる年金が障害年金です。一般的に「年金」というと、歳をとってからもらうものというイメージが強いかもしれませんが、障害年金は20歳以上であれば年齢に関わらず受け取ることができます。

障害年金は、「障害基礎年金」と「障害厚生年金」の2つに分けられます。

障害基礎年金は、国民年金に加入している期間に、障害の原因となる病気やケガをした場合、国民年金保険料を一定期間支払っている人がもらえる年金です。

障害がなくなったり、障害の程度が軽くなったりしない限り、一生涯もらえます。

障害厚生年金は、厚生年金に加入している期間に、障害の原因となる病気やケガをした場合にもらえる年金です。

厚生年金は健常者の場合と同様、仕事に就いたときに所属する事業所を通じて加入しますから、就労していることが条件となります。

障害基礎年金と障害厚生年金は、受け取れる要件はほぼ同じです。

しかし、障害基礎年金は2級までしか支給対象に入りませんが、障害厚生年金は3級までが支給対象です。また、障害基礎年金にはない障害手当金が支給されます。障害厚生年金のほうが、支給内容が手厚いといえるでしょう。

ちなみに、ここでいう「級」とは、「国民年金・厚生年金保険　障害認定基準」により診断された等級のことです。等級については24ページで詳しく解説します。

本書では、障害厚生年金の説明はこのくらいにして、障害基礎年金を中心に解説していきます。

障害基礎年金はいくらもらえるのか

では、収入の予測に必要な、具体的な数字の話に入りましょう。障害基礎年金はいくらもらえるのでしょうか。子どもがいない、67歳以下の障害者の場合、2023（令和5）年4月分からの支給額（年額及び月額）

1-1 障害基礎年金の支給額（2023年）

等級	支給額（年額・千円未満切り捨て）	支給額（月額・千円未満切り捨て）
1級	99万3,000円	8万2,000円
2級	79万5,000円	6万6,000円

（日本年金機構「障害基礎年金の受給要件・請求時期・年金額」）

は 1-1 のとおりです。

関心のある方に向けて、この支給額がどう割り出されるのか参考までに記しておきますと、

・障害基礎年金1級の年額＝（78万900円×賃金や物価の変動を踏まえた改定率）×1.25
・障害基礎年金2級の年額＝78万900円×賃金や物価の変動を踏まえた改定率

となっています。

なお現在（2023年）は、障害基礎年金受給者のうち所得が一定額以下の人に対して、障害年金生活者支援給付金として、1級の場合は月額6,425円、2級の場合は月額5,140円が支給されています。

しかし、この給付金が将来も存続するかは不明ですので、ステップ1の収入予測には含めないことにします。

障害基礎年金をもらうための要件

障害基礎年金をもらうためには、原則として、次の3つの要件をすべて満たす必要があります。

なお、わかりやすさを重視するため細かい部分は省略しています。

- 障害の原因となる病気やケガの初診日において、国民年金に加入していること（**加入要件**）
- 一定期間、国民年金保険料を支払っていること（**納付要件**）
- 障害認定日において一定の障害の状態にあること（**障害の程度要件**）

以下、一つずつ解説していきましょう。

加入要件

障害基礎年金の加入要件が満たされているかどうかは、初診日がいつなのかわからないと判断することができません。この初診日とは、簡単にいうと障害の原因となった病気やケガについて、はじめて医師の診療を受けた日のことをいいます。

ただし知的障害の場合は初診日は出生日とみなされるため、初診日がいつかはすぐにわかります。

納付要件

「障害年金とは何か」の冒頭でもお話ししましたが、国民年金は、加入者が保険料を出し合うことを前提としていますので、年金保険料を支払わなかった加入者に対しては年金が支給されないのが原則です。

そのため、年金保険料を一定期間支払っていることが、当然に障害基礎年金の支給要件の一つになります。

ただし、これには例外があります。それは、国民年金の加入前に、障害の原因となる病気やケガをした場合です。

たとえば、生まれながらの障害がある人や、児童期において障害の原因となる病気やケガをした人、知的障害の人（すでに説明しましたが、知的障害の場合は初診日＝出生日となるため）などが該当します。

国民年金の加入は原則として20歳からですから、こうした人たちは初診日の時点で国民年金に加入することができず、年金保険料を支払うことが不可能です。そのため、20歳前に初診日がある人は、この納付要件は不要となります。

なお20歳以降に障害の原因となる病気やケガをした場合（たとえば、20歳以降に統合失調症になったなど）は、納付要件を満たすことが必要です。

納付要件は、3分の2要件と直近1年要件という2つの要件に分かれていて、どちらか一方を満たす必要があります。

この納付要件は複雑なこともあって、詳しく理解する必要はありません。納付要件を満たしているかは、年金事務所などに問い合わせるほうが確実です。

ですので、本書ではこの2つの要件についての解説は省略します。

納付要件を理由に障害基礎年金がもらえないということにならないように、国民年金保険料は必ず支払い、もし収入が少なくて払えない場合は免除や納付猶予の申請をするようにしてください。

障害の程度要件

障害基礎年金の3つの受給要件のうち、もっとも大事なのはこの、障害の程度要件です。

障害基礎年金の場合は、「国民年金・厚生年金保険　障害認定基準」の1級か2級に該当している必要があります。「障害認定基準」とはさまざまな障害について、個別に1級から3級まで国が基準を定めているものです。

障害認定基準は、たとえば知的障害は発達障害や統合失調症と同じく「精神の障害」としてまとめており、1-2のように定められています。

1級と2級に該当する「障害の状態」は似たような表現ですが、3級はまったく違います。

知的障害があっても、食事や身のまわりのことを援助なしにできたり、

1-2 知的障害の障害認定基準

障害の程度	障害の状態
1級	知的障害があり、食事や身のまわりのことをおこなうのに全面的な援助が必要であって、かつ、会話による意思の疎通が不可能か著しく困難であるため、日常生活が困難で常時援助を必要とするもの
2級	知的障害があり、食事や身のまわりのことなどの基本的な行為を行うのに援助が必要であって、かつ、会話による意思の疎通が簡単なものに限られるため、日常生活にあたって援助が必要なもの
3級	知的障害があり、労働が著しい制限を受けるもの

（日本年金機構「国民年金・厚生年金保険　障害認定基準」）

または会話による意思疎通が十分にできたりすると、1級と2級には該当しないことがわかります。

1級と2級の違いは、食事などの援助が全面的か否か、会話による意思疎通ができるか否かということになります。

なお「精神の障害」以外については項目が多岐にわたっているため、日本年金機構のホームページをご覧ください。「障害認定基準　日本年金機構」とインターネットで検索をすると見つかります。

障害基礎年金を申請するには

フルタイムで働くことが難しい障害者や、そもそも働くことが難しい障害者にとっては、障害基礎年金が収入の大部分を占めることになります。

障害基礎年金をもらえるかどうか、また、「障害認定基準」の1級・2級のどちらに該当するのか、その結果受け取れる金額はいくらになるのかは、障害者本人やその家族にとって、いちばん気になる点でしょう。

それらの審査は、障害基礎年金の申請時に提出する書類のみで下されます。障害者本人や家族、主治医との面談などはありません。
つまり申請の際に提出する書類がたいへん重要ということです。
そこで、障害基礎年金をまだ申請していない障害者の家族に向けて、障害基礎年金の申請の際に気をつけるべきことを解説します。

申請に必要な書類

障害基礎年金の申請に必要な書類は、おもに次のとおりです。

(1) 年金請求書
(2) 年金手帳
(3) 住民票
(4) 医師の診断書（巻末資料1-1　304ページ）
(5) 病歴・就労状況等申立書（巻末資料1-2　306ページ）
(6) 本人名義の受取先金融機関の通帳（キャッシュカードでも可）のコピー

（日本年金機構「障害基礎年金を受けられるとき」）

この6つの書類のうち、障害の程度を判断するうえで、もっとも重要な書類は（4）医師の診断書、次いで（5）病歴・就労状況等申立書です。
その他の書類は、障害の程度の判断には直接関係ありません。

なぜ医師の診断書が重要なのか

では、最重要書類である医師の診断書は、障害等級の判定においてどのように活かされるのでしょうか。

25ページで「精神の障害」の知的障害の障害認定基準を掲載しましたが、「障害をもつわが子やきょうだいがどの級に該当するのか、結局よくわからないな」と思われた方も多いのではないでしょうか。

そう感じるのはもっともなことで、知的障害に限らず、精神の障害に関する基準は明確であるとはいえません。その不明確さゆえに、かつては障害認定に地域差が出てしまっていたほどです。
障害基礎年金というのは地域によって定められる条例ではなく、日本国民に共通のルールである法律を根拠としています。
障害の程度は同じなのに、住んでいる地域によって等級が異なり、支給額にも差が出るという不公平はあってはなりません。

この地域差を是正するために、国は「精神の障害に係る等級判定ガイドライン」（以下「等級判定ガイドライン」巻末資料1-3　308ページ）を作成し、その中で「障害等級の目安」というものを示しました（28ページに抜粋して掲載）。インターネット上でも確認できます。
その目安というのは、医師の診断書に記載されている項目のうち、「日常生活能力の程度」の評価を横軸に、「日常生活能力の判定」の評価の平均を縦軸にとり、両軸が重なる部分に目安となる障害等級を示したものです 1-3 。
障害等級の判定はこの「障害等級の目安」を参考としつつ、現在の病状・療養状況・生活環境といった要素も考慮しながら、認定医が専門的な判断にもとづいて総合的に判定します。
日本年金機構は「障害等級の目安」と「実際に認定された障害等級」とが一致した割合は92.1%と報告しています（厚生労働省「障害年金の業務統計等について」11ページ）。
「障害等級の目安」はそもそも医師の診断書をもとに割り出されるわけですから、診断書は障害等級の判定において非常に重要であることがわかります。

それでは、各項目について詳しく見ていきましょう。
縦軸の「日常生活能力の判定」は、次の7つの項目について、「できる」から「できない」までの4段階で評価します。
「できる」を1、「できない」を4として、以下の7項目の平均点を出しま

1-3 障害等級の目安

判定平均＼程度	5	4	3	2	1
3.5 以上	1 級	1 級または 2 級			
3.0 以上 3.5 未満	1 級または 2 級	2 級	2 級		
2.5 以上 3.0 未満		2 級	2 級または 3 級		
2.0 以上 1.5 未満		2 級	2 級または 3 級	3 級または 3 級非該当	
1.5 以上 2.0 未満			3 級	3 級または 3 級非該当	
1.5 未満				3 級非該当	3 級非該当

（日本年金機構「精神の障害に係る等級判定ガイドライン」）

す。

・適切な食事
・身辺の清潔保持
・金銭管理と買い物
・通院と服薬（要・不要）
・他人との意思伝達及び対人関係
・身辺の安全保持及び危機対応
・社会性

横軸の「日常生活能力の程度」は、5段階評価です。
日常生活能力が高く、社会生活が普通にできる場合は評価1、身のまわりのことがほとんどできずに常時援助が必要な場合には評価5となります。

適切な等級判定を得るために

ここまでの説明で、医師の診断書が障害等級の判定基準になっていること、ひいては障害基礎年金をいくらもらえるかに直結していることがよくわかったかと思います。
では、その医師の診断書はどのような根拠にもとづいて書かれるのでしょうか。

国は、障害年金の申請にあたり、診断書を作成する医師に対して留意すべきポイントをまとめた「障害年金の診断書（精神の障害用）記載要領」を作成しました（巻末資料1-4）。
この記載要領には、「日常生活能力の判定」と「日常生活能力の程度」の評価の判断基準や具体例が記載されています。

適切な等級判定を得るためには、診断書の作成を依頼する前に、以下の準備をしておきましょう。

●診断書の作成を依頼する前にしておきたいこと

①以下の3つに目をとおす

・医師の診断書(巻末資料1-1　304ページ)

診断書の作成を依頼する前に、そもそも診断書とはどういうものなのか確認しておきましょう。本書の巻末資料にも掲載していますが、日本年金機構のホームページからもダウンロードできます。

・等級判定ガイドライン(巻末資料1-3　308ページ)

・記載要領(巻末資料1-4　310ページ)

診断書を作成する医師のすべてが、等級判定ガイドラインや記載要領の内容を熟知しているとは限りません。こちらも事前に目をとおしておくと安心です。

②「障害等級の目安 1-3 」のどれに当てはまるか自己診断する

次に、障害等級の目安のどれに当てはまりそうかを、自己診断してみてください。その際、どのような日常生活の現状にもとづいて評価したかを明確にしましょう。

自己診断の際に注意が必要なのは、「日常生活能力の程度」に関しては、単身かつ支援がない状況で生活した場合を想定して評価することになっていることです。家族が障害者を支援するのが当たり前になっており、支援があることを前提に評価すると、適切な自己診断ができません。

③「②」の日常生活の現状を医師に伝える

「②」の自己診断の根拠となった日常生活の現状を、実際に診断書を作成してもらう医師に対しても伝えましょう。伝わっているかよくわからない場合には、診断書の作成を依頼する際に、口頭または文書で伝えておくことをおすすめします。作成後に訂正してもらうよりも、作成前に必要な情報を伝えておくほうが、スムーズに適切な診断書を作成してもらえます。

●障害年金の申請書を提出する前にしておきたいこと

①診断書と自己診断を照らし合わせる

医師から診断書を受け取ったら、最低限「日常生活能力の判定」と「日常生活能力の程度」の記載内容を見て、障害者の家族（または障害者本人）として妥当な評価であると納得できるか、依頼前におこなった自己診断と大きな齟齬がないかも確認しましょう。

齟齬があったり、納得できなかったりした場合には申請せずに主治医と話し合いましょう。

②障害等級を予測する

「障害等級の目安」に目をとおし、医師の診断書の記載内容から、書類審査後に認定されるであろう障害等級を予測してみましょう。

等級判定ガイドライン、診断書、記載要領の3つを読んでもよくわからない場合や、医師にどのような情報を事前に伝えていいかわからない場合は、障害年金に詳しい社会保険労務士（社労士）に相談することもご検討ください。

深掘りコラム

転院する際にはカルテのコピーを入手しておきましょう

障害基礎年金の加入要件とは「障害の原因となる病気やケガの初診日において、国民年金に加入していること」であるとお話ししました。

しかし、特に精神疾患においては転院（病院を変えること）がよくあるため、精神疾患の精神症状が出て最初に受診した病院について、本人が覚えていないということがよくあります。

初診日の年月日がわからないため、障害基礎年金の申請をしておらず、もらえるはずの障害年金がもらえていないということが、めずらしくありません。

初診日が不明であっても、障害者本人やそのまわりの人の頑張り次第で、なんとかなる場合もあります。しかし、精神疾患のことで精一杯で、そこまで手が回らず、障害基礎年金の受給をあきらめてしまうこともあります。

そうならないためにも、転院をする際には、病院に対して診療録（カルテ）開示の請求手続きをして、カルテ等のコピーを入手しておくと安心です。カルテ等のコピーを入手しておけば、診察を受けた病院が廃業したり、保存期間（5年）が経過したため、カルテ等が廃棄されていたりしたとしても、初診日を証明することができます。

また、最初に受診した病院を覚えていなくても、現在通院している病院から一つ一つ遡っていくことで、初診日を証明できる場合があります。このように遡って調査することが精神障害者本人やその家族にとって難しい場合には、弁護士や社会保険労務士に調査を依頼することで、初診日を証明できることもあり得ます。

カルテ等のコピーは、障害基礎年金の申請をする際の参考資料としても役に立つこともあります。ですので、初診日の証明が不要な知的障害者の場合でも、転院した際には、カルテ等のコピーを入手しておくことをおすすめします。手続きは病院などの窓口で申し込むだけです。また、病院だけではなく、診療所（クリニック、医院など）でももらえます。費用は、カルテ等のコピーに必要な実費だけで十分なところがほとんどです。

なお、カルテ等のコピーを入手することは、個人情報保護法にもとづく正当な権利ですので、遠慮する必要はありません。

深掘りコラム

障害基礎年金には例外的に所得制限があります

原則として、障害基礎年金には所得制限はありません。働いてたくさんお金を稼いだとしても障害基礎年金をもらえますし、それによって障害基礎年金が減額されることもありません。

ただし、例外があります。それは「初診日が20歳未満で、20歳になって障害基礎年金の受給が開始された人」で、「ある一定額以上の所得を得ている」場合です。所得制限として、支給額の全部または半額の支給がストップします。

なぜ所得制限がかかってしまうのか、その根拠は「障害基礎年金の納付要件」のところでもお話しした、国民年金の成り立ちにあります。

国民年金は社会保険の一つで、みんなで保険料を出し合うことを前提としています。かたや、初診日が20歳未満の人（たとえば、生まれながらの障害がある人や、初診日＝出生日である知的障害の人）は、自分では保険料を支払っていないにもかかわらず、年金を受け取っていることになります。ですから、所得が十分にあるあいだは障害基礎年金の支給をストップさせることで、年金保険料を支払っている他の加入者とバランスをとろうという考え方です。

現実的なことをいえば、そもそも障害基礎年金が収入の中心である障害者にとって、この所得制限に引っかかって支給が停止されることは、まずありません。しかし、所得制限という制度は障害者やその家族に対する経済的支援に密接に関わっているため、このコラムで詳しく解説します。

では、いったいいくらの所得であれば所得制限に引っかかるでしょうか。

2023（令和5）年では、障害者が単身者であれば、

・前年の所得が472万1,000円を超える場合……全額支給停止
・前年の所得が370万4,000円以上472万1,000円以下の場合……半額支給停止

となっていました。

ここで気をつけたいのは、所得とはいったい何を意味しているかということです。ここでいう「所得」とは「収入から必要経費を引いたもの」です（国税庁タックスアンサー「No.2011　課税される所得と非課税所得」）。

会社などから支払われる給与所得や、営んでいる事業による事業所得などの合計所得額から、以下の所得控除（詳しくはステップ4で解説）の控除額を引いたものと捉えてください。単純に「所得＝収入」ではない点

を押さえておきましょう。

▼所得控除に含まれるもの
・雑損控除
・医療費控除
・社会保険料控除
・小規模企業共済等掛金控除
・配偶者特別控除
・障害者控除
・寡婦控除
・ひとり親控除
・勤労学生控除

※生命保険料控除や地震保険控除などは含まれません

なお、障害基礎年金自体は、ここでいう「所得」の中には含まれません。また、相続した財産も「所得」ではありません。親が障害者のために残したお金や財産は、所得制限の対象に含まれませんのでご安心ください。

深掘りコラム

所得制限を回避するには確定拠出年金などの利用を

所得制限に引っかかってしまったら、所得が減らない限り、ずっと障害基礎年金の支給は停止してしまうのでしょうか。

所得を減らさずに所得制限を回避する方法は、所得控除の金額を増やすことです。1つ前のコラムで説明したように、所得制限の基準となる所得は、所得合計額から所得控除の控除額を引いた金額だからです。

先ほど挙げた所得控除の中で、障害年金を受給している人が、その控除額をコントロールできるのは、社会保険料控除と小規模企業共済等掛金控除です。

まず、社会保険料の中で任意加入できるものとして、国民年金基金があります。次に、小規模企業共済等掛金等のうち、障害者が加入して意味のあるものは、小規模企業共済とiDeCoなどの確定拠出年金です。

これら3つについて簡単に紹介しますので、所得制限の回避策として採用できるかどうかをご検討ください。

（1）国民年金基金に加入する

障害者の中には才能を発揮して個人事業主としてお金を稼いでいる人もいるかと思います。そのような個人事業主の場合は、iDeCoなどの確定拠出年金の他に、国民年金基金に加入することで所得制限を回避することも可能です。

国民年金基金の掛金は社会保険料控除の対象になります。国民年金基金も将来の老後資金のための貯蓄と考えれば、むだになるわけではありません。

（2）小規模企業共済に加入する

個人事業主や、小規模な会社の役員になっている人の場合は、小規模企業共済に加入することでも所得制限を回避できます。

小規模企業共済とは、個人事業主などの退職金（共済金）を積み立てる制度です。小規模企業共済の掛金も小規模企業共済等掛金控除の対象です。

（3）iDeCoなどの確定拠出年金に加入する

iDeCoなどの確定拠出年金の掛金は、人によっては年間約80万円まで掛金を支払うことができます（最大拠出限度額月6.8万円×12か月分＝約80万円）。確定拠出年金の掛金は、小規模企業共済等掛金控除の対象です。この掛金は将来の老後資金になるという面でむだになるわけではありません。

就労による収入

障害者のおもな収入源のうち「障害基礎年金による収入」の話が終わりました。ここからは、もう一つのおもな収入源である「就労による収入」の話に入ります。

障害者が就労によって収入を得る場合、次の3つが考えられます。

・障害者雇用
・福祉的就労
・一般就労

一般就労は、障害者雇用でも福祉的就労でもなく、健常者とまったく同じ条件で雇用され、まったく同じ条件で就労することです。一般就労ができる障害者であれば、親亡き後の心配はあまりないでしょうから、ここでは「障害者雇用」と「福祉的就労」について説明します。

障害者雇用ではいくらもらえるのか…………………………

「障害者雇用」とは、障害者雇用促進法にもとづき、障害者として事業者に雇われることをいいます。

障害者雇用促進法とは、期間の定めのない従業員を雇用するすべての事

1-4 障害者雇用の平均賃金

障害の種別	身体障害	知的障害	精神障害	発達障害
平均賃金（月額）	21万5,000円	11万7,000円	12万5,000円	12万7,000円

（厚生労働省「平成30年度障害者雇用実態調査」）

業主（民間・国・地方公共団体、法人・個人を問いません）に対して、一定の割合で障害者を雇用しなければならないと定めた法律です。その一定の割合のことを「障害者雇用率」または「法定雇用率」と呼んでいます。

法定雇用率は、2023（令和5）年4月1日時点で、以下のとおりです。

・民間の事業者……2.3%
・国、地方公共団体……2.6%

一般就労で働くことは難しいけれど、障害の特性に合わせた適切なサポート（合理的な配慮）があれば働けるという障害者の場合は、この「障害者雇用」で就労すれば、まわりに障害者であることを明らかにしたうえで働くことができます。民間の事業者における障害の種別の平均賃金は次のとおりです 1-4 。

一般就労と比べて給料・賃金が安いと言われている障害者雇用ですが、このように、身体障害者の平均賃金は20万円を超えています。他方、それ以外の障害者の平均賃金は、12万円前後です。障害基礎年金と合わせて、20万円になるかならないかというのが現状です。

福祉的就労ではいくらもらえるのか

「福祉的就労」に明確な定義はないようですが、本書では、障害者総合支援法が定める次のような障害福祉サービスを受けながら働くこととします。

1-5 就労継続支援の平均賃金工賃

種別	平均賃金工賃（月額・千円未満切り捨て）
就労継続支援 A 型	8 万 1,000 円
就労継続支援 B 型	1 万 6,000 円

（厚生労働省「令和３年度工賃（賃金）の実績について」）

- 就労移行支援
- 就労継続支援A型
- 就労継続支援B型
- 就労定着支援

「就労移行支援」は期間限定である点や、賃金・工賃の支払いがないところも多いため、ここでは「就労継続支援A型」の平均賃金と、「就労継続支援B型」の工賃を見てみましょう 1-5 。

障害者雇用の平均賃金よりもさらに少ないことがわかります。特に就労継続支援B型の工賃についてはお小遣い程度しかもらえないのが現状です。

なお「福祉的就労」のそれぞれの雇用形態や、支援を受けられる要件などの詳細は終章「障害のある子どもの自立に向けて」にまとめています。詳しく知りたい方はそちらをご覧ください。

手当による収入

ここまでで、障害者のおもな収入源である「障害年金」と「就労」による収入の解説が終わりました。ここでは、障害者がもらえる手当を2つ紹介します。

特別障害者手当

●対象者

20歳以上で、著しく重度の障害があり、日常生活において常時の介護を必要とする人。ただし、障害者支援施設に入所したり、入院が3か月に至ったりするともらえません。

特別障害者手当の支給対象となるためには、まず、著しく重度の障害でなければなりません。ここでいう「著しく重度」とは、簡単に言うと、最重度の障害があるか、または重度の障害が重複している場合です。たとえば、身体障害と知的障害の両方がある場合などです。

このように、支給の対象者はかなり絞られていることがわかります。報道によると、特別障害者手当の受給者数は、約12万人とのことです。日本国内の障害者の数は、約900万人ですから、受給者は全体の1%程度ということになります。

●支給額

月額2万7,980円（2023年4月時点）

「特別障害者手当」は「特別児童扶養手当等の支給に関する法律」という国の法律で定められた手当です。そのため、日本全国どこに住んでいてももらえますし、支給金額も全国一律です。ただし、愛知県のように地方自治体によっては県独自に上乗せ加算する場合があります。

●所得制限

本人やその配偶者などの所得が多いと支給されないという所得制限があります。

在宅重度障害者手当

「在宅重度障害者手当」は、地方自治体が条例などで定めている手当です。そのため住んでいる地域によって、手当の名称・支給の要件・支給額はさまざまです。

私の子どもは、この「在宅重度障害者手当」を受給しています。私が住んでいる、埼玉県のとある地方自治体では、在宅の重度障害者であれば受給できて、月額5,000円（年額6万円）がもらえます。この自治体では、65歳までに障害者手帳を取得していれば、何歳からでももらえます。ただし、特別障害者手当などをもらっているともらえないなどの併給制限もあります。

支給額がこれよりも高いところも少なくありません。具体的な金額を見てみましょう。

●愛知県の例

たとえば、特別障害者手当に上乗せ加算をしている愛知県では、重度の障害者と、重度の重複障害者とで金額に差を設けています。重度の障害者は月額6,750円ですが、重複障害だと月額1万5,500円と、2倍以上になります。

●東京都の例

私が知る限り、月額がもっとも高額なのは東京都です。東京都では「重度心身障害者手当」という名称で、月額6万円ももらえます。

もっとも、単に重度の障害があるだけでは支給の対象にはなりません。東京都福祉保健局の説明によると、激しい問題行動などの精神症状がある重度の知的障害者や、重度の知的障害と重度の身体障害が重複する場合などに限られます。

東京都の重度心身障害者手当は、受給できる障害の程度は限定されていますが、非常に魅力的です。この手当を受け取れる障害者には、障害基礎年金1級と特別障害者手当も受給できる人も少なくないでしょう。そのような場合は、月額の収入は次のとおりになります（1,000円未満切り捨て）。

障害者基礎年金１級　８万2,000円
特別障害者手当　２万7,000円
重度心身障害者手当　６万円
合計　16万9,000円

ここで重要になるのは、単に月額の収入が多いというだけではありません。

この金額をもらっている障害者であれば、このあと説明する生活保護を受給することはまずできないでしょう。

つまり、障害基礎年金と手当だけで生活保護レベル以上の生活ができるということです。

のちほど説明しますが、障害者の家族としては、障害者が生活保護を受給するのはさまざまなメリットがあると同時にデメリットもあるため、ジレンマを感じることがあります。しかし、東京都民で重度心身障害者手当を受給できる障害者の家族は、このジレンマを感じずに済むはずです。東京都と同じ首都圏に住む私としては、もらえる金額が桁違いですから、正直うらやましいです。

生活保護

障害者の収入を考えるうえではもう一つ、大事な制度として「生活保護」があります。

これまでの「障害基礎年金による収入」「就労による収入」「障害者に対する公的な手当の収入」の解説からもわかるように、障害者には、一人で暮らしていけるだけの十分な収入があるとはいえません。一般就労や障害者雇用で働くことが難しい、重度または中等度の知的障害者や精神障害者は特にそうです。

このように、十分な収入がなく生活に困っている人に対して、健康で文化的な最低限度の生活を保障するのが生活保護制度です。障害者の少ない収入を補う制度として、生活保護について最低限の知識を学んでおくのは大切なことですので、ここで詳しく解説します。

生活保護はどんな制度か

生活保護のしくみは、比較的シンプルです。

国が定める、健康で文化的な最低限度の生活レベルの金額（最低生活費）よりも収入が下回っていれば、その足りない分を生活保護費として補充してもらえるというしくみです。

よく「働いていると、生活保護はもらえないのではないですか?」と言う人がいますが、それは誤解です。最低生活費よりも収入が少なければ生活保護を受給することはできるのです。

この関係をわかりやすくあらわすと 1-6 のようになります。

働くことが難しくて就労による収入がない、または少ないという人や、国民年金保険料の支払いをしていない、初診日がわからず加入要件を満たせないなどの理由で障害基礎年金がもらえず収入がゼロという人もいるかと思います。

そのような人の場合には最低生活費＝生活保護費となり 1-7 のようになります。

最低生活費の金額は、基本的には、

・世帯の人数とその世帯の構成年齢
・住んでいる地域

1-6 収入がある場合の生活保護費

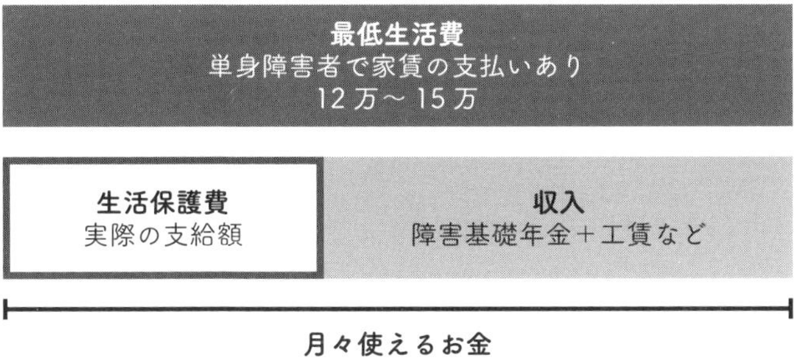

（著者作成）

1-7 無収入者の生活保護費

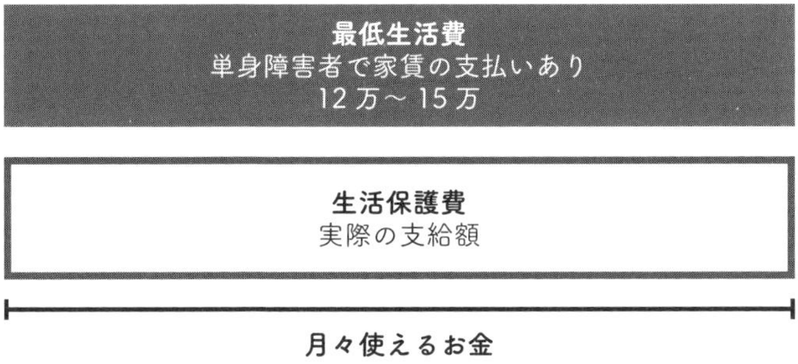

（著者作成）

によって決まります。

たとえば、東京都23区は家賃が高いため、最低生活費は高額になります。

他方、人口の少ない地方都市の場合は、大都市に比べると家賃が低くなりますので、最低生活費もそのぶん低くなります。

大雑把に「生活保護費」と呼んできましたが、その内訳は次の8種類です。

生活扶助は必ず支給されます。

その他の扶助は審査によって、申請者に必要だと判断された費用のみ支給されます。

・生活扶助……衣食その他の日常生活に必要な費用に対する援助
・教育扶助……義務教育に関する費用に対する援助
・住宅扶助……住居・家賃に関する費用に対する援助
・医療扶助……医療に関する費用に対する援助
・介護扶助……介護に関する費用に対する援助
・出産扶助……出産に関する費用に対する援助
・生業扶助……生活のための仕事に関する費用に対する援助
・葬祭扶助……お葬式や火葬埋葬に関する費用に対する援助

この8種類の扶助のうち、中心的なものは生活扶助です。

賃貸アパート等に住んでいる場合には、住宅扶助も大事です。

医療扶助や介護扶助は、基本的には現物給付です。つまり、医療費や介護費を本人から病院や介護事業所に支払う必要がないということです。医療扶助や介護扶助以外の扶助は、お金の支給です。

その他の扶助は、生活保護の受給世帯で特に必要な場合に支給されるものです。働くことが難しい単身の障害者にとってはあまり縁がないかもしれません。

生活保護費はいくらもらえるのか

それでは具体的に、生活保護費はいくらもらえるのかを見ていきましょう。

生活保護費（最低生活費）の具体的な金額については、インターネットで簡単にわかります。

たとえば「生活保護費　計算」で検索してもらうと、年齢・世帯・お住まいの地域を入力するだけで算出できるサイトがいくつもヒットすると思います。

そのうちの一つを選んで、実際に生活保護費が毎月いくらになるのか出してみたいと思います。

・単身者の障害者
・年齢は30歳
・賃貸アパートに住んでいる

と仮定します。

住んでいる地域は、私の出身地である埼玉県さいたま市と、私の第二の故郷である北海道函館市にします。結果は1-8のとおりです。

障害者が生活保護を受給する場合、健常者よりも生活費がかかることから、生活扶助には障害者加算がつきます。障害者加算は、受給している障害基礎年金の等級によって金額に差があります。1-8の表の障害者加算の額は、障害基礎年金1級の場合です。2級の場合は、この障害者加算の額からおおよそマイナス1万円されます。

なお、この金額はあくまで試算です。実際に生活保護を受給した場合、必ずしもこのとおりの金額になると限りませんので、一つの目安としてご理解ください。

1-8 生活保護費の試算

	さいたま市（月額）	函館市（月額）
生活扶助	7万6,420円	7万1,460円
障害者加算（障害基礎年金1級の場合）	2万6,810円	2万4,940円
住宅扶助	4万5,000円	3万円
合計額	14万8,230円	12万6,400円

（著者作成）

障害基礎年金は生活保護を下回る

あらためて、これまで紹介してきた「障害基礎年金でもらえる額」や「就労によってもらえる額」と、最低生活費とを比較してみましょう 1-9 。

障害基礎年金1級の月額も、障害基礎年金2級＋就労継続支援B型でもらえる工賃の合計月額も10万円未満ですので、明らかに最低生活費のほうが上回っています。これらの月額と比べると、生活保護でもらえるお金は多く感じると思います。

しかし、国が定める最低生活費とは、食べることには困らないにしても、趣味や人との交際など生活や人生を彩るようなことにお金を支出するのは難しい金額です。あくまでギリギリの生活を送るうえでの最低限の金額であるということを忘れないでください。

生活保護を受けるときの注意点①「収入」が増えれば生活保護費は減らされる

生活保護は、「最低生活費」から「収入」を引いた分（足りない分）を生活保護費として補充するということをお伝えしました。

1-9 障害基礎年金、就労による収入、最低生活費の比較

	月額（千円未満切り捨て）
障害基礎年金（1級）	8万2,000円
障害基礎年金（2級）	6万6,000円
福祉的就労（就労継続支援A型）	8万1,000円
福祉的就労（就労継続支援B型）	1万6,000円
最低生活費（さいたま市）	14万8,230円
最低生活費（函館市）	12万6,400円

（著者作成）

つまり、どのようなお金が生活保護において「収入」と扱われるかが重要になります。収入とみなされるお金が増えれば、その分生活保護費として支給されるお金は減ってしまいます。生活保護の注意すべきポイントは、生活保護を受けている限りは、原則として最低生活費の金額の範囲内でしかお金が使えないということです。

どういうことか、例を挙げて説明しましょう。

生活保護を受給している障害者に対して、親が仕送りをしたとします。この場合、仕送りは「収入」とみなされ、そのぶん生活保護費が減らされます。

仕送りをしない場合の生活保護費 1-10 と、仕送りをした場合の生活保護費 1-11 の関係をあらわすと次ページのようになります。

仕送りをしてもしなくても、生活保護を受給している限りは、本人が月々使えるお金は最低生活費の範囲にとどまるということになります。

このことを逆にいうと、入金があったとしてもそれが「収入」としてみなされなければ、生活保護費は減らないということになります。結果的に

1-10 仕送りをしない場合の生活保護費

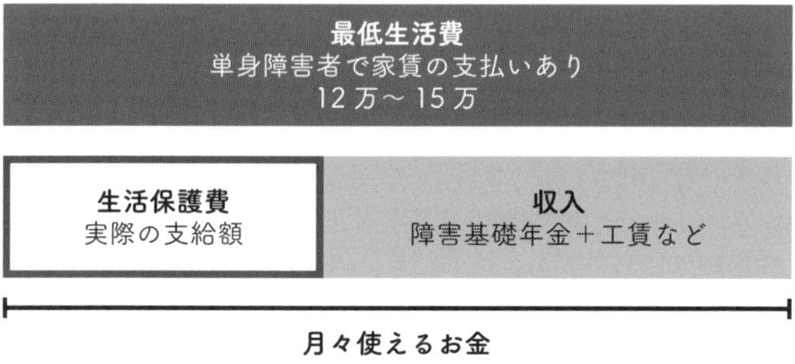

（著者作成）

1-11 仕送りをした場合の生活保護費

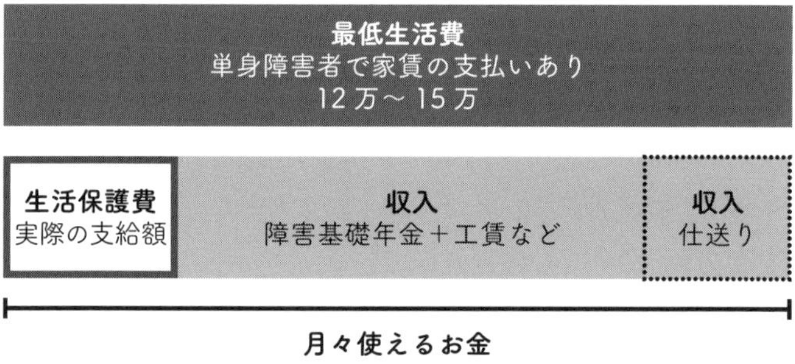

（著者作成）

生活保護費プラスアルファの金額を月々の生活費として使えるということになります。

障害者が受け取ることができる月々のお金の中で、生活保護の収入として扱われない代表例が、障害者扶養共済の年金です。

この年金が収入に扱われないことは、厚生労働省が認めています。障害者扶養共済については、ステップ5で詳しく解説します。ここでは障害者扶養共済の年金は生活保護において、収入に含まれないということだけ覚えておいてください。

障害者扶養共済の年金をもらっている場合の生活保護費については、1-12のようになります。

1-12 障害者扶養共済の年金をもらっている場合の生活保護費

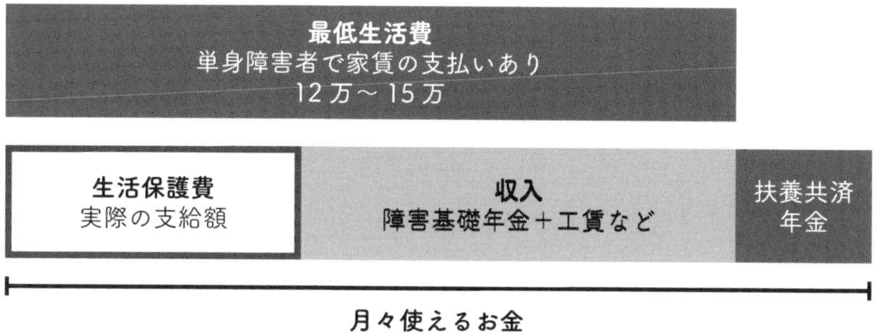

（著者作成）

生活保護を受けるときの注意点②
2,000万円以上の不動産

生活保護法4条1項は、「保護は、生活に困窮する者が、その利用し得る資産、能力その他あらゆるものを、その最低限度の生活の維持のために活用することを要件としておこなわれる」と定めています。

これはどういう意味かを簡単にいうと、「利用できる資産がある場合は、生活保護が受けられませんよ」ということです。

たとえば、収入が少なく最低生活費を下回っていたとしても、預貯金がたくさんある場合ですと、預貯金が数万円になるなど、ほとんどなくなるまでは生活保護を受給できません。これは当たり前といえば当たり前です。

では、預貯金ではなく、自宅などの不動産がある場合にはどうなるでしょう。

不動産を所有している場合は、原則として売却して、売却代金がほとんどなくなるまで生活保護を受給できません。ただし、実際に住んでいる不動産の場合は売らずに住み続けることができます。

しかし、ここで注意しなければならないのは、売却すれば2,000万円以上になる不動産の場合は、本人が住み続けていたとしても売却しないと生活保護を受給できないということです。なお、2,000万円という金額は地域によって異なりますので、あくまでも目安として理解してください。

不動産の価値が、20代と30代の夫婦と4歳の子どもがいる世帯の生活扶助と住宅扶助の合計額の10年分を超える場合には、売却を余儀なくされるかもしれません。

総務省の土地統計調査によると、日本の持ち家保有率は2018(平成30)年時点で、61.2%です。障害者の親亡き後の備えとして自宅の不動産を障害をもつわが子に残そうと考えている親御さんも少なくはないと思います。私もその一人です。

しかし、30年の住宅ローンを支払って手に入れたマイホームを、障害

をもつわが子に残しても、将来子どもが生活保護を受給しないと生活できなくなった場合に、その家に2,000万円以上の価値があると売却を余儀なくされるかもしれません。親亡き後の備えとして、自宅不動産を残したいという場合には、不動産の価値について十分に注意する必要があります。

では、2,000万円以上の価値がありそうな不動産を所有している人は、どうすればいいでしょうか。

そのような場合には、信託を活用すれば、生活保護を受給することになっても、売却せずに障害をもつお子さんがその家に住み続けることができるかもしれません。信託については、ステップ5で詳しく解説します。

生活保護のジレンマ
――私が公的機関に提言したいこと

生活保護は、健康で文化的な最低限度の生活を保障する制度です。ステップ2の「住まいと食事の支出」で詳しく紹介しますが、障害基礎年金だけでは障害者が一人暮らしをする、または地域によってはグループホームで暮らすのも難しいのが現状で、生活保護の受給が望ましいです。

しかし「生活保護を受けるときの注意点①」で述べたように、生活保護を受けるということは、最低生活費の範囲内で生きていくことを意味します。つまり、食べてはいける程度のギリギリの生活を続けていくということです。

健常者であれば、一時的に生活保護を受給することになっても、本人の頑張りや支援があれば、生活保護から抜け出すことは十分可能でしょう。しかし、身体障害を除く障害者の場合、障害者雇用の平均賃金の現状を踏まえると、障害者雇用で働くことができても、生活保護を抜け出せるとは限りません。

ギリギリの生活は忍びないと、生活保護を受給している障害者に家族が仕送りをしたとしても、やはりすでに述べたように、生活保護費が減るだけで、障害者の使えるお金が増えるわけではありません。

つまり、生活保護から抜け出すためには、家族と同居するか、生活保護費よりも多くのお金を家族が渡すしかないのです。

そうなると、障害者の家族からの自立は先延ばしになるか、障害者家族の経済的な負担が長く続くことになります。

このように、障害者をもつ家族としては、障害者本人にギリギリの生活をしてもらうか、家族が負担を受け入れるかというジレンマに陥ることになります。確かに、障害者の家族が働いているうちは負担を受け入れることはできるかもしれません。しかし、家族も歳をとります。収入だって減っていきます。いつまでも家族の負担で乗り越えていくことは到底できません。

このジレンマを回避する方法は、現状の公的な制度としては、障害者扶養共済しかありません。しかし、ステップ5で詳しく紹介しますが、障害者扶養共済は、障害者の親や保護者が亡くなったり、重度の身体障害になったりしたときから支払われる年金です。親や保護者が健在のあいだは、残念ながら役に立ちません。

私が国や地方自治体に提言したい、障害者とその家族のジレンマを解消する、もっとも手っ取り早い方法は、生活保護を受給しないで済むだけの収入・所得を障害者に保障することです。

生活保護以外で、障害者の収入・所得保障を実現しているのは、すでに40ページの「手当による収入」で紹介した東京都の重度心身障害者手当です。現状では、この手当を受け取れる障害者はかなり絞られているという問題はあります。

しかしこのことは、国ではなく地方自治体レベルであっても障害者の収入・所得保障が可能であるということを意味しており、たいへん希望がもてます。

私と子どもが住む埼玉県でも、障害者の収入・所得保障の実現を目指して、地道に声を届けていきたいと思っています。

「親に収入があると生活保護がもらえない」は大きな誤解

「親に収入があると、その子どもは生活保護が受けられないのではないですか?」というのもよく聞かれますが、これも誤解です。実際に親に十分な収入があっても、疎遠などの理由から援助が受けられずに、生活保護を受給している人は少なくありません。

ただしこの誤解は、根拠のないものではありません。生活保護法4条2項は、「民法に定める扶養義務者の扶養及び他の法律に定める扶助は、すべてこの法律による保護に優先して行われるものとする」と規定しています。この規定を根拠に、扶養義務者である親やきょうだいがいる人は、生活保護を受給できないといわれることもあります。

障害者の世話は、親や家族がするものだという考えが今でも根強いため、親や家族に収入がある以上は、生活保護を受給するのではなく、家族でなんとかしなければと思っている人も少なくはないでしょう。

そこで、親やきょうだいの扶養義務とはどういうものなのか、また生活保護との関係はどうなるのかをここでは詳しく解説します。

民法877条1項は「直系血族及び兄弟姉妹には、互いに扶養する義務がある」と定めています。扶養とは、生活の面倒を見るとか、経済的な援助をするといった意味です。

この扶養義務については、次の2種類の義務があるとされています。

- 生活**保持**義務
- 生活**扶助**義務

生活「保持」義務とは、自分の生活を犠牲にしてでも、自分と同等の生活をさせる義務のことをいいます。たとえば、配偶者の扶養義務、未成年者に対する親の扶養義務は、生活保持義務と考えられています。

生活「扶助」義務とは、生活に余裕がある場合に、最低限度の生活をするだけの援助をする義務のことをいいます。たとえば、成人した親の子に対する扶養義務や、きょうだい間の扶養義務は、生活扶助義務とされています。

では、成人している障害者の子どもに対する親の扶養義務は、生活「保持」義務でしょうか。それとも生活「扶助」義務でしょうか。

成人していても経済的に自立できていない子どもは、未成熟子といいます。未成熟子に対して、その親は生活「保持」義務があるとするのが一般的です。典型例は、成人している大学生です。2022（令和4）年4月1日から、成人年齢が20歳から18歳になりました。そのため、今後は社会人大学生などを除いて、ほとんどの大学生が成人ではあるものの、未成熟子ということになります。

一般的に、大学生の子どもは、アルバイトなどでお金を稼ぐことはできますが、学業があるため、経済的に自立することは難しいです。そのため、未成年と同等に扱って、親には生活保持義務があるとするのはおかしくはないでしょう。

では、障害のある子どもも、大学生と同じように考えるべきでしょうか。障害者の中には、働くことが難しく経済的に自立できない人は少なくありません。そのため、障害者は、未成熟子に含まれる、または未成熟子と同様に扱って、その親は生活保持義務があると考えることはできます。裁判所は、成人した障害者であっても未成熟子またはそれに準ずるものと捉える傾向があります（大阪高裁H26.7.18、高松高裁H22.11.26、東京高裁H19.2.27）。

しかし、このように考えると、働くことが難しい成人の障害者は、何歳になっても未成熟子として扱われるということになります。これは、成人の障害者をいつまでも半人前扱いすることを意味して、あまりにも失礼です。

そもそも働くことが難しい理由は、障害者に対する合理的配慮を欠く社会のほうにも問題があります。それを考慮せずに、働くことができない成人の障害者を未成熟子として、親が何歳になっても、自分の生活を犠牲にしてでも、同等の生活をさせる義務があると考えるのは明らかにおかしいと言わざるを得ません。

したがって、経済的に自立できていない成人の障害者であっても、成人している以上、子どもに対する親の扶養義務は、生活「扶助」義務であると考えるべきです。

私の考えが妥当だとすると、親自身の生活に余裕がないのであれば、成人の障害者に対して経済的な援助をする義務はないということになります。

ですので、もし仮に役所の職員から「お子さんが生活保護の申請をされたようですが、ご家族からの支援は難しいですか?」といった問い合わせがあった場合も、「自分に収入があるんだから、やっぱり世話をしなきゃいけないのかな」「面倒を見ないと、冷たい家族だと思われるだろうか」と心配する必要はまったくありません。「面倒を見るのは難しいです。本人に生活保護を受けさせてください」と堂々と言っていいのです。

たまたま一家の一員に障害者がいるからといって、家族が「障害者の親」や「障害者のきょうだい」の立場を一生にわたって強いられるゆえんはありません。裏を返していえば、家族に依存する生き方を障害者本人に強いるゆえんも、どこにもありません。

親は親の、きょうだいはきょうだいの、そして障害者本人は障害者本人の人生を、それぞれ胸を張って生きるべきだと私は考えます。

ステップ 2

障害者の支出には何があるのか

ステップ2は「障害者の支出はどれくらいか」の把握です。

障害をもつわが子がすでに親元から離れて暮らしている場合は、月々の支出が明確になっているはずです。以下の説明は必要に応じて読んでいただき、ステップ3の「親亡き後に残す金額の算出」へ進んでください。

知的障害者や精神障害者の場合は、家族と同居している割合が高いようです。調査によると、65歳未満の療育手帳所持者の81%が同居者ありと回答し、その多くは親や兄弟姉妹と同居しています。

また、65歳未満の精神障害者保健福祉手帳所持者の75%が同居者ありと回答しています。療育手帳所持者とは異なり、夫婦や子どもと同居している割合は増えていますが、もっとも多いのは親との同居です（厚生労働省「平成28年　生活のしづらさなどに関する調査」）。

家族やきょうだいと同居している場合、障害者本人の支出と、親などの家族の支出とが混じっているため、障害者本人固有の支出が具体的にいくらなのかわからないというご家庭も少なくないと思います。そのようなご家庭や、障害をもつわが子が未成年者のご家庭は、これから紹介する支出の予測をご覧ください。

まずは、どのような支出が考えられるのかというところから、お話ししていきましょう。費目を「住まいと食事に関する支出」と「それ以外の支出」の大きく2つに分けて考えます。

住まいと食事の支出

最初に考えなければならないのは、障害者がどこに住むのかということです。当たり前の話ではありますが、住む場所によってかかる金額が変わってくるからです。

親と離れて暮らす障害者の住まいの代表例として、次の3つがあります。

- 障害者支援施設
- グループホーム
- 一人暮らし

では、それぞれ支出がどれくらいになるか見ていきましょう。

なお、各施設の設備・規模・定員などはこの本の終章「障害のある子どもの自立に向けて」にまとめています。費用以外の詳細を知りたい方はそちらをご覧ください。

障害者支援施設……………………………………………

障害者支援施設とは

障害者支援施設とはなんでしょうか。

障害福祉に関する中核的な法律である「障害者総合支援法」によると、

障害者支援施設とは、昼間は生活介護・自立訓練などを、夜間はお風呂・トイレ・食事等の介護などを障害者に対しておこなう施設としています。
まとめると、以下のようになります。

●日中のサービス

・生活介護
・自立訓練
・就労移行支援の提供
・就労継続支援B型の提供

●夜間のサービス

・施設入所支援（施設に入所する障害者に対するお風呂・トイレ・食事の介護など）

厚生労働省が出している実態調査（正式名称は「障害者支援施設のあり方に関する実態調査」本書では平成30年度のものを参照）によると、約97%の障害者支援施設が生活介護を実施していますので、以下の説明は、生活介護サービスと施設入所支援を提供している障害者支援施設を念頭におくことにします。

障害者支援施設で暮らす場合、何にお金がかかるのか

●住居・サービスの利用料

日中の生活介護サービスと夜間の施設入所支援は、どちらも障害者総合支援法にもとづく障害福祉サービスです。
この支援法にもとづくサービスを受ける費用は、利用者の家計の負担能力などによって、自己負担ゼロの場合もあれば、一部を負担することもあります。
たとえば、生活保護を受給していたり住民税が非課税であったりする

と、利用者負担はゼロとなります。

障害者支援施設の利用者の83.7%は住民税が非課税で、課税されていると回答した人はわずか2.9%です。また、収入の平均額が約8万4,000円であることから考えても、ほとんどの利用者は利用者負担ゼロと考えられます（厚生労働省「障害福祉サービスの利用実態調査報告書　令和2年3月」）。

●実費（食費・水道代・光熱費など）

生活介護と施設入所支援の利用者負担がゼロだとしても、施設内での食費・水道代・光熱費などは利用者が実費を負担しなければなりません。

なお、障害者支援施設は、グループホームと違って家賃の支払いは原則として不要です。

2-1 補足給付とは何か

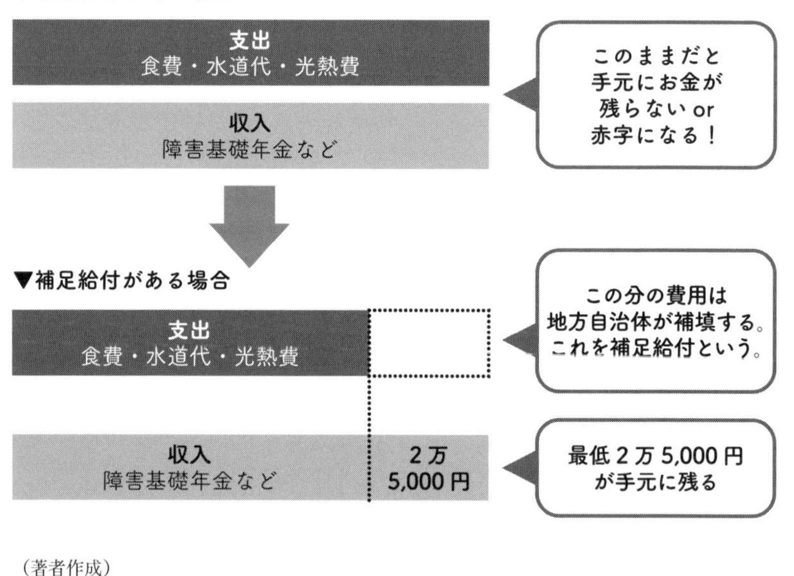

（著者作成）

ただし、収入の少ない障害者には、この実費負担分もバカにはなりません。そこで、生活保護受給者や住民税が非課税の障害者については、実費の負担が軽減されます。具体的には、利用者の手元にひと月あたり少なくとも2万5,000円が残るように調整されます。これを「補足給付」といいます 2-1 。

つまり、障害基礎年金しか収入がなかったとしても、少なくとも毎月2万5,000円が利用者の手元に残ることになります。

この手元に残ったお金で、施設へ支払う実費以外の支出（保険料・娯楽費・施設で提供される食事以外の食費・成年後見人の報酬など）をまかないます。先ほど紹介した実態調査によれば、これらの支出の平均は約1万4,000円なので、収支のバランスは黒字となります。

このように、ほとんどの利用者が障害基礎年金の範囲内で生活できるというのが障害者支援施設の実情です。障害者支援施設に入所できれば、障害者の親としてはわが子の経済面への不安は大幅に軽減されるでしょう。

障害者支援施設への寄付金

障害者支援施設への入所を検討する際には、2つ注意点があります。

1つ目は寄付金です。入所時には、施設に対して数百万円の寄付を求められることがあるようです（東京新聞2021.1.27「グループホームのニーズ高まる」）。障害基礎年金が収入の中心である障害者が数百万円の寄付金を用意することは難しいと思うので、多くの場合は親が支払っていると考えられます。寄付金については、グループホームでも必要となるところはあるようです。

親が健在のうちに入所できればいいのですが、親亡き後に入所するケースもあります。障害者支援施設への入所を考えるのであれば、寄付金用の数百万円を親亡き後の資金にプラスして残しておいたほうがいいかもしれません。

2つ目は、入所のしにくさです。国は現在「脱施設化・地域移行」と銘打って、障害者の生活基盤をこれまでの入所施設内中心の生活から、地域社会の中での生活に移行させようとしています。
今後は障害者支援施設が新たに設置されにくくなると予想されますから、障害者支援施設への入所は現在でも狭き門ですが、さらに拍車がかかることになるでしょう。

深掘りコラム

「法定代理受領方式」のメリットとデメリット

このコラムでは、障害福祉サービスの費用の基本的な枠組みについて解説します。障害福祉サービスとは、障害者の支援などについて定めた「障害者総合支援法」にもとづいて提供されるサービスのことを指します。
サービスの内容は、自宅や施設における介護をおこなう「介護給付」と、就労に関する支援や暮らしに関する援助をおこなう「訓練等給付」の2つに大きく分けられます。
ここまで紹介してきた「就労移行支援」や「生活介護」なども障害福祉サービスの一つです。
障害福祉サービスを事業者から受ける場合に、当然に費用の支払いが発生します。障害福祉サービスを受けたい場合には、市町村にその申請をして、申請が認められると受給者証をもらえます。
その受給者証を示して、希望する障害福祉サービスを受けると、その費用は市町村が事業者に支払うという流れになっています。このような支払いの流れを「法定代理受領」といいます。
ただし、障害福祉サービスの費用全額を市町村が支払うとは限りません。利用者側の家計の負担能力によっては、市町村は費用の全額を支払わず、一部利用者側で負担することもあります。利用者の負担分や実費分は、利用者が事業者に直接支払います。
もっとも、利用者側の負担月額には上限が決められているので、その上

2-2 障害福祉サービスの負担上限月額

区分	世帯の収入状況	負担上限月額
生活保護	生活保護受給世帯	0円
低所得	市町村民税非課税世帯	0円
一般1	市町村民税課税世帯（所得割16万円未満） ※入所施設利用者（20歳以上）グループホーム利用者を除く	9,300円
一般2	上記以外	3万7,200円

（厚生労働省ホームページ「障害者の利用者負担」）

限を超える負担はありませんのでご安心ください。

負担上限月額は、2-2の表のような段階制になっています。

障害福祉サービスの利用と費用の支払いについては、障害者が障害福祉サービスを受けたら、事業者にその費用を全額支払い、そのあと、市町村から利用者にかかった費用から利用者負担分を引いた金額が振り込まれるというのが本来のかたちではあります。

しかし、この流れですと、一時的であっても利用者が障害福祉サービスの費用を全額負担しなければならないこと、事業者としては利用者から個別に費用の支払いを受けるよりも、市町村から一括して支払ってもらった方がラクであることなどから、上記の法定代理受領方式が採用されました。

私個人としては、法定代理受領方式には弊害もあると考えます。「措置から契約へ」ということで、障害者と障害福祉サービス事業者は、対等な当事者として契約を結ぶことが建前となっています。

当事者の対等な関係は、当事者の一方が他方に対してお金を支払うこと、ちゃんとサービスの提供をしないとお金を支払ってもらえないかもしれないことなどによって支えられています。しかし、法定代理受領方式では、障害福祉サービス事業者は、利用者である障害者からお金を受け取るのではなく、市町村から受け取ります。
　そのため、障害福祉サービス事業者が、利用者である障害者よりも、実際にお金を支払ってくれる市町村の顔色や機嫌を伺うことに関心がいきがちになるのではないでしょうか。
　障害者に対する虐待や不適切な行為、不正請求が起きる原因の一つに、この法定代理受領方式があるのではないかと、私は考えます。

グループホーム

　障害者のグループホームは、正式には「共同生活援助」といいます。
　障害者総合支援法によると、主として夜間、グループホームにおいて、障害者に対してお風呂・排せつ・食事の介護・その他の日常生活上の援助・相談をおこなうことをいいます。
「主として夜間」となっているのは、利用者が平日の昼間には生活介護事業所や就労継続支援事業所などの日中活動に通うことを想定しているからです。
　まとめると、以下のようになります。

●日中のサービス
・なし

●夜間（土日祝も含む）のサービス
・身体介護。お風呂・トイレ・食事の介護など
・相談
・その他日常生活の援助。調理・洗濯・その他家事などの提供を含む。ただしこれらの家事の提供は、原則として利用者とグループホームのスタッフが一緒におこなうことを求められます

なお、2024（令和6）年4月から、一人暮らしを希望する入居者に対する相談も追加されます。

●その他のサービス

・日中活動先との連絡調整
・余暇活動のサポート
・役所での手続きの代行（利用者やその家族がおこなうことが難しい場合）

グループホームで暮らす場合、何にお金がかかるのか

グループホームで暮らす場合の費用は「障害者総合支援法の対象となる費用」か「それ以外の費用」かに分けて考えます。前者であれば市町村から給付を受けられます。後者であれば、自己負担が原則です。

●市町村から給付を受けられる費用

・共同生活援助の費用
　生活保護受給世帯や住民税非課税世帯であれば自己負担はゼロとなります。それ以外の世帯の場合、3万7,200円までは自己負担となります。

・低所得者向けの家賃補助1万円（補足給付）
　地方自治体によっては、上乗せの補助もあります。

●自己負担となる費用

・食材料費…月額一定額か、1食あたりの金額×回数かが一般的
・水道光熱費…月額一定額か、一定額で定期的に精算
・日用品費…同上
・家賃…家賃補助を受けられる場合は、その分を引いた金額
・役所や病院などにスタッフが同行した場合は、その交通費

2-3 グループホームに支払う金額

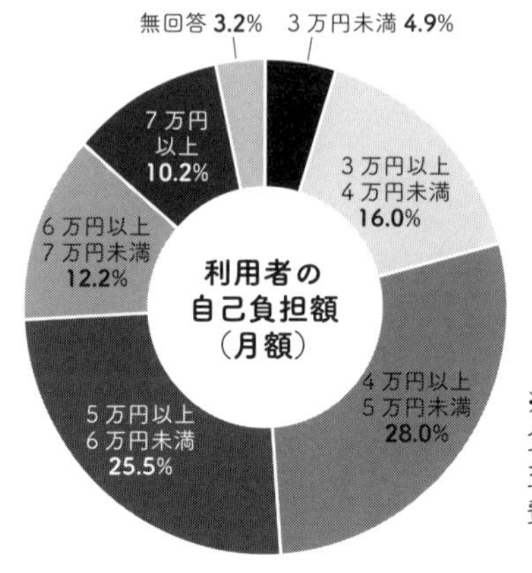

※家賃＋水光熱費＋
食費＋その他を計上したもの。
交際費や趣味に関する
費用は含まれていない。

（日本知的障害者福祉協会「全国グループホーム実態調査報告」15ページ　2019年、令和元年版）

・グループホーム内でおこなったイベントの参加費用

など

グループホームに支払う金額はいくらか

ここまで自己負担の費目を細かく見てきましたが、では具体的にはいったいいくらくらいになるでしょうか。実際にグループホームを利用している人の、毎月の自己負担額 2-3 を見てみましょう。

グラフでは4万円以上～6万円未満が全体の約半数を占めていますが、実際のところ、支払う金額の目安は地域によって異なります。

食材料費・水道光熱費・日用品費はさほど地域差がないと思われますが、家賃は首都圏では高くなります。実際、私の出身地である埼玉県さいたま市では、月額7～8万円をグループホームに支払うことはめずらしくありません。

ちなみに 2-3 の「自己負担額」は、グループホームに支払う費用なので、交際費や趣味に関する費用は含まれていません。実際には図の金額にそれらの費用がプラスしてかかることになります。

●収入が障害基礎年金＋工賃の場合

それでは次に、この自己負担額を障害基礎年金や福祉的就労の工賃でまかなえるのかどうかを検討してみましょう。ステップ1で紹介した金額を再掲します。

▼障害基礎年金の支給額
・1級…約8万2,000円（月額）
・2級…約6万6,000円（月額）

▼福祉的就労（就労継続支援B型）の工賃
・約1万6,000円（月額）
※グループホーム利用者のうち45.4%は、工賃や給料が1万円未満（0円の人も含む）
（「全国グループホーム実態調査報告」13ページ）

障害基礎年金2級の受給者は、障害基礎年金のみ、または障害基礎年金＋工賃だけで、グループホームで生活するのはギリギリ、または足りないことがわかります。1級の受給者であっても家賃が高くなる首都圏であれば同様でしょう。

●生活保護を受給した場合

生活保護を受給した場合はどうでしょうか。ステップ1で紹介したとおり、障害基礎年金＋工賃の金額に、生活保護費がプラスされて、月額12～15万円が収入となります。グループホームへの自己負担額を支払っても数万円は手元に残りますので、障害基礎年金＋工賃よりは、豊かな生活ができます。

ただ、グループホームの利用者で生活保護を受給している人は、わずか5.5%にすぎません(「全国グループホーム実態調査報告」13ページ)。

ステップ1でお話ししたとおり、収入が最低生活費を下回る場合は働いていても生活保護を受けられます。

ただし、もし生活保護を受給しないのであれば、障害基礎年金が収入の中心である障害者がギリギリ食べていける以上の暮らしをするためには、グループホームに入居する場合も親が生きているあいだは仕送りをし、亡くなった後は財産を残すしかありません。

障害者の一人暮らし

一人暮らしは持ち家の場合と、賃貸住宅の場合があります。賃貸住宅はさらに、公営住宅・UR賃貸住宅・一般賃貸の3つに分類できます。

これらの賃貸住宅は、入居資格・賃料・保証人の要否の点で大きく異な

2-4 公営住宅・UR賃貸住宅・一般賃貸の比較

	公営住宅	UR賃貸住宅	一般賃貸
家賃	一般賃貸の1/3	一般賃貸と同程度かそれ以上	
敷金	あり	なし	あり
礼金	なし	なし	あり
更新料	なし	なし	あり
仲介手数料	なし	なし	あり
保証人の要否	地域によって異なる	不要	必要

(著者作成)

ります。それぞれの詳細は終章で説明していますので、ここでは簡単に3つを比較しておきましょう 2-4 。

なお、家賃以外の生活費も含め、一人暮らしをしている障害者の支出の相場がいくらぐらいになるのかについては、調査結果を見つけることができませんでした。

ただ、親亡き後の備えを試算するうえでは、最低生活費や単身者（健常者も含む）の生活費の全国平均を参考値として、どれくらいの資産を準備すればいいか割り出すことができます。試算の方法や計算式はステップ3で解説します。

その他の支出

以上が「住まいと食事に関する支出」の現状です。
次に「それ以外の支出」についてかるく解説しましょう。

「それ以外の支出」は、おもに次のようにまとめられます。

・医療費
・通信費（携帯電話、インターネット）
・交通費
・趣味交際費
・保険料
・成年後見人などへの報酬

医療費

医療費は障害者の個別性が高い費目です。障害の程度や受ける医療によって、月々どれくらい必要かは大きく変わるでしょう。

国民健康保険などの公的医療保険制度は、原則として医療費の3割が自己負担額となります。

障害者が利用できる医療に関する制度を2つ紹介します。

①自立支援医療制度

「自立支援医療」とは、障害者総合支援法にもとづく制度で、心身の障害の状態の軽減を図り、自立した日常生活・社会生活を営むために必要な医療のことです。以下の3つのことを意味します。

(1) 育成医療＝身体障害児に対する生活の能力を得るために必要な医療
(2) 更生医療＝身体障害者が自立し社会経済活動に参加できるようにするための医療
(3) 精神通院医療＝知的障害者・精神障害者に対する精神障害の通院医療

自立支援医療も、障害福祉サービスと同じように、患者の家計の負担能力に応じて自己負担額が変わり、月額の負担上限額もあります。

たとえば住民税が非課税の世帯であれば、ひと月あたりの自己負担額の上限は2,500円または5,000円となります。詳しくは「自立支援医療制度の概要」(巻末資料2-1　313ページ)をご覧ください。

②地方自治体の医療費助成制度

「自立支援医療制度」の対象外であっても、都道府県や市町村が条例で定めた医療費助成制度があります。助成の対象、自己負担額など助成の内容は地方自治体によって異なります。

たとえば私の住む市町村では、重度または中等度の障害があり、かつ、障害者手帳を所持している人などが対象です。住民税非課税であると自己負担ゼロ、住民税が課税されていても医療費が1割になるところが多いです。詳しくはお住まいの地域の役所で確認してください。

通信費

携帯電話やインターネットは、現代においては障害者にとっても必需品である場合が多いでしょう。携帯電話は、障害者手帳があれば障害者割引が受けられます。インターネットも、障害者割引を実施しているところはあるそうです。障害者割引があっても、月に5,000円～1万円ぐらいはかかります。

障害者支援施設に入所した場合は、携帯電話やインターネットを自由に利用できるかわかりませんが、障害者グループホームや一人暮らしであれば、少なくとも携帯電話は必要になるでしょう。

交通費

障害者手帳による割引や、地方自治体によっては初乗り運賃が無料になるなどの福祉タクシー券の交付や、ガソリン代の助成をおこなっているところがあります。

交通費がどれくらいかかるかは、一人で外出できるか、移動系の支援を受けられるかどうかなどによっても金額は変わるので、月々どれくらいかかるかは人それぞれです。

趣味交際費

医療費や交通費同様に、人それぞれです。

保険料

保険料は、社会保険料と民間の保険会社を通じて加入した保険料とに分けられます。

●社会保険料

障害年金や生活保護を受給している場合は、国民年金保険料の支払いは免除されます。

したがって、65歳未満の障害者が支払う社会保険料は、

・国民健康保険料
・介護保険料（40歳から）

となります。

国民健康保険料と介護保険料の金額は、所得によっても地方自治体によっても異なりますが、月額5,000円から1万円程度でしょうか。

●民間の保険料

ステップ5「親亡き後の資金をどう残すか」で、理由も含め詳しく解説しますが、最低限、損害保険には加入しておいたほうがいいでしょう。

損害保険料は保険会社や補償内容によって違いますが、少なくとも月額1,000円から2,000円は必要になるでしょう。

成年後見人などへの報酬

ステップ6「親亡き後の財産をどう管理するか」で詳しく解説しますが、判断能力のない、または低下した障害者をサポートする制度として「成年後見制度」というものがあります。

障害者をサポートする成年後見人の報酬は月額最低2万円です。これは障害者の財産から支払われることになります。

成年後見人が親族以外の場合で、かつ、障害者本人の収入や資産が少ない場合には、市町村がその報酬を肩代わりする制度、すなわち、報酬の助成制度があります。この助成を受けることで、実質的に無料で成年後見制度を利用することができます。

成年後見制度は、利用者やその家族にとっては不満に思う点の多い制度です。しかし少なくとも、重度の知的障害者や精神障害者の親亡き後において、多くの場合、有用であることは確かです。

私自身、精神障害者の成年後見人を実際にしているので、成年後見制度に問題点や改善点はあることは承知しています。

しかし、成年後見制度の代わりになる制度がない現状としては、利用するかどうかは十分に検討すべきだと思います。

ステップ2の話をまとめると 2-5 のようになります。

ここまでの話でおわかりいただけたかと思いますが、支出がいくらになるかは、障害者の生活の場がどこか（どこに住むのか、どんな暮らしを送るのか）で大きく変わります。特に障害をもつわが子がまだ未成年者である場合は、「どんな生活をするか見当もつかないし、いくらかかるかなんて想像もできないよ」と思われる方がいてもおかしくないと思います。

そこで、ステップ3で支出の予測をする際は 2-5 の太枠で示した部分の支出を、「最低生活費」または「単身者（健常者も含む）の生活費の全国平均」の金額に置き換えて計算することにします。あくまで目安の金額ではありますが、親亡き後の資金を予測するうえでは十分です。

それではステップ3に歩を進め、親亡き後のためにいくら備えておけばいいのかの計算に入っていきましょう。

ちなみに、親亡き後においてどのような生活を障害者本人や家族が望むかということは、障害をもつわが子が未成年の場合、または成人であっても家族と同居している場合は、今後十分に検討していく必要があります。この点については本書では深く掘り下げることはできませんが、本書の内容も参考に、考えてもらえればと思います。

2-5 障害者の支出には何があるのか・まとめ

		障害者支援施設	グループホーム	一人暮らし
住まいと食事の支出	家賃	生活保護受給または 住民税非課税なら 0円	自己負担 →金額の目安は65ページへ	自己負担 →賃貸住宅の比較は68ページへ
	実費 （光熱費・ 水道代など）	自己負担 平均は1万4,000円 →補足給付アリ。 詳細は61ページへ		
	サービス利用料	生活保護受給または 住民税非課税なら 0円		－
	寄付金	数百万求められる ケースあり	数百万求められるケースあり	－
その他の支出（金額は最低月額の目安）	通信費	5,000～1万円		
	医療費	人によって異なる		
	交通費、趣味交際費	人によって異なる		
	社会保険料	5,000～1万円		
	民間の保険料	1,000～2,000円		
	成年後見人の報酬	0～2万円		

▲支出予測の際は太線の囲みの部分を「最低生活費」または「単身者の生活費全国平均」に置き換えて予測する

（著者作成）

ステップ 3

親亡き後に残す金額の算出

それではいよいよ、親亡き後のために資金をいくら残せばいいのか割り出してみましょう。先に計算式を紹介します。

●計算式
（②子の支出月額－①子の収入月額）×12〔か月〕
×③親亡き後の期間〔年〕＝親亡き後に残す資金

①、②、③と順を追って、数値の出し方を解説していきましょう。

①子の収入の月額を出す

わが子に収入がある場合

障害をもつわが子にすでに、就労による収入や障害基礎年金による収入がある場合は、実際の金額から計算しましょう。

以下の説明は飛ばして、294ページの計算シート1を埋めてみてください。

わが子にまだ収入がない場合

障害をもつわが子が成人しておらず（著者の場合もそうです）、子どもの具体的な収入月額がわからない場合は、これまでに解説した情報をもとに収入の予測を立てることになります。

障害基礎年金による収入を予測する

障害のある子どもが20歳未満の場合で、保護者が特別児童扶養手当を受給している場合には、その等級から障害基礎年金の等級を予測できます。特別児童扶養手当における「障害の程度」と、障害基礎年金における「障害の程度」は同じ基準が採用されているからです。

特別児童扶養手当の等級≒障害基礎年金の等級と考えることができます。

3-1 子の収入の月額

特別児童扶養手当の等級	予測収入額（月額） ※参考金額
1級	8万2,000円
2級	就労継続支援A型14万7,000円 就労継続支援B型8万2,000円
非該当	知的障害11万7,000円 精神障害12万5,000円

（著者作成）

就労による収入を予測する

特別児童扶養手当2級で、18歳以降に就労継続支援で就労をしていると予想できる場合は、就労継続支援（A型もしくはB型）の平均賃金・工賃を収入と考えます。

特別児童扶養手当が受給できていない軽度の障害であれば、障害者雇用で働けると考えます。障害の種別に応じた障害者雇用の平均賃金を収入と考えます。

以上のことをまとめると 3-1 のようになります。等級別に障害基礎年金による収入額と就労による収入額を足して、特別児童扶養手当の等級から予想収入額がわかるようにしたものです。

なお、1級であっても就労継続支援や生活介護における生産活動によって工賃を得られている人も少なくないです。

手当による収入を予測する

「障害児福祉手当」をもらっている場合は20歳になったら、ステップ1

収入額の内訳（予測収入額は以下の点線枠を合計した金額）		
障害基礎年金の支給額（月額）	就労継続支援の平均賃金・工賃（月額）	障害者雇用の平均賃金（月額）
8万2,000円	なし	なし
6万6,000円	A型8万1,000円 B型1万6,000円	なし
なし	なし	知的障害11万7,000円 精神障害12万5,000円

で紹介した「特別障害者手当」をもらえる可能性が十分にあります。また「在宅重度障害者手当」をもらっている場合にはそれらの月額も加えてください。

●**特別障害者手当**

月額2万7,980円（2023年4月時点）※地方自治体によって上乗せ加算あり

●**在宅重度障害者手当**

お住まいの自治体によって金額が異なります

生活保護による収入は加味しない

親亡き後に残す金額を算出する際には、生活保護による収入は考慮しません。なぜなら、考慮すると残す金額が低く見積もられてしまうからです。

どういうことかというと、ステップ1で解説したように、生活保護を受給するということは、原則として国が定める最低生活費の範囲内で暮らすことを意味します。障害のある子どもをもつ親が残すお金は、障害者扶養共済の年金を除いて、生活保護における「収入」に含まれます。そのため、親が残したお金がある間は生活保護の受給はストップしてしまうのです。

よって、親亡き後に残す金額を算出するためには、生活保護を受給していないことを前提とする必要があります。

収入全体を予測する

294ページの計算シート1を埋めてみましょう。

著者の場合

計算方法の復習を兼ねて、わが家のケースをご紹介します。

まず、私が受給している特別児童扶養手当の等級は1級です。3-1から、予測収入額は月額8万2,000円となります。

次に、手当を考えます。障害児福祉手当はもらえていないので、特別障害者手当をもらうのは難しいと仮定します。在宅重度障害者手当はもらっていて、私の住む自治体の金額は5,000円です。

8万2,000円＋5,000円で、わが家の場合の収入予測は月額87,000円となります。

障害のある子どもが独立している場合

直近3か月分の支出から平均金額を割り出せば、より正確な予測ができます。295ページの計算シート2を埋めてみましょう。

障害のある子どもが親と同居している場合

ステップ2でお話ししたように、支出にはいろいろな費目があります。

どこに住むか、どんな医療を受けるか、趣味や交際にどれくらいお金を使うかなど、どんな生活を送るかによって支出額はまったく変わってきます。

これらの細かい項目について、わが子が将来どれだけお金を使うか予測するのは、特にお子さんがまだ未成年の場合は難しいでしょう。

そこで支出に関しては「どんな水準の生活を送るか」と「どこに住むか」とのかけ合わせで予測金額を出すことにします。

ズバリいくらになるのか金額だけ知りたい方は、91ページへ進んでください。考え方や金額の根拠を知りたい方は、以下の説明を順を追って読んでいただければと思います。

生活水準を予測する

「どんな水準の生活を送るか」という言いまわしだけではわかりにくいので、もう少しかみくだいて説明しましょう。

これは「生活保護における最低生活費」か「単身者（健常者を含む）の生活費の全国平均」の、どちらを予測支出として設定するかということです。

どちらにするかは、親御さんの現在の収入・きょうだい児の有無・ひとり親か否か・お子さんの障害の程度、などの個別事情を踏まえます。当然、単身者の全国平均レベルのほうが生活保護レベルよりは支出が増えるので、残さなければならない金額はその分増えることになります。

現時点ではあまり深く考えずに、両方の場合について具体的な金額を計算して、それぞれの金額を残すことができるかどうかを検討したほうがいいでしょう。

●最低生活費

地域によって金額が違うので、サンプルとして私の出身地である埼玉県さいたま市と、私が第二の故郷と思っている北海道函館市の最低生活費を紹介します。

40～50代の単身の障害者が、賃貸住宅で暮らす場合の最低生活費は、**3-2**のとおりです。

住宅扶助は、おもに賃貸住宅（グループホームを含む）の家賃に対する

3-2 最低生活費の目安

	さいたま市（月額）	函館市（月額）
生活扶助	7万7,000円	7万1,000円
障害者加算 障害基礎年金1級	2万6,000円	2万4,000円
障害者加算 障害基礎年金2級	1万7,000円	1万6,000円
住宅扶助	4万5,000円	3万円
合計額 （障害基礎年金1級の場合・月額）	14万8,000円	12万5,000円
合計額 （障害基礎年金2級の場合・月額）	13万9,000円	11万7,000円

※金額は千円未満切り捨て

（著者作成）

3-3 全国平均をもとにした生活費の目安

	さいたま市（月額）	函館市（月額）
生活費	12万9,000円	12万9,000円
家賃	6万2,000円	3万2,000円
合計額（月額）	19万1,000円	16万1,000円

※金額は千円未満切り捨て

（著者作成）

援助です。

持ち家を残すなど賃貸住宅に住まない場合には計算から外します。

●単身者の生活費の全国平均

まずは家賃を考えます。お住まいの地域の家賃の相場は、「お住まいの

地域　単身　家賃相場」などでインターネット検索をすると、すぐにわかります。さいたま市の家賃の相場は6万2,000円、函館市の家賃の相場は3万2,000円でした。

次に、家賃以外の生活費です。全国平均は12万9,000円でした。これは単身者の生活費全体の全国平均（15万506円）から家賃の全国平均（2万948円）を引いた金額です（統計局「家計調査」2020年［令和2年］より）。

以上を合計すると3-3のようになります。

生活水準と住まいをかけ合わせる

「生活保護における最低生活費」「単身者（健常者を含む）の生活費の全国平均」の金額がわかりました。それでは、「どこに住むのか」とかけ合わせて支出全体の予測をしてみましょう。

ステップ2で紹介したように、住まいとして考えるのは「賃貸住宅」「持ち家」「グループホーム」「障害者支援施設」の4つです。

●賃貸住宅に住む場合

賃貸住宅で、単身者の生活費全国平均で暮らす場合は3-4の一番上の列を見てください。賃貸住宅で、最低生活費で暮らす場合は、障害者加算を加えた生活扶助と住宅扶助の合計額が支出となります。3-4の2段目と3段目の列を見てください。

●持ち家に住む場合

持ち家で、単身者の生活費全国平均で暮らす場合は3-3の「生活費12万9,000円」が支出となります。

持ち家で、最低生活費で暮らす場合は、障害者加算を加えた生活扶助の金額が支出となります。3-5を見てください。

●グループホームに住む場合

ステップ2で紹介したとおり、グループホームの利用料は自治体によっ

3-4 賃貸住宅に住む場合の支出の目安

どこに住むか▶ ▼生活水準	さいたま市（月額）	函館市（月額）
単身者の生活費 全国平均で暮らす	19万1,000円	16万1,000円
最低生活費で暮らす （障害基礎1級の場合）	14万8,000円	12万5,000円
最低生活費で暮らす （障害基礎2級の場合）	13万9,000円	11万7,000円

（著者作成）

3-5 持ち家に住む場合の支出の目安

どこに住むか▶ ▼生活水準	さいたま市（月額）	函館市（月額）
単身者の生活費 全国平均で暮らす	12万9,000円	12万9,000円
最低生活費で暮らす （障害基礎1級の場合）	10万3,000円	9万5,000円
最低生活費で暮らす （障害基礎2級の場合）	9万4,000円	8万7,000円

（著者作成）

3-6 グループホームに住む場合の支出の目安

どこに住むか▶ ▼生活水準	さいたま市 （利用料は 7万円、月額）	函館市 （利用料は 5万5,000円、月額）
単身者の生活費全国平均から 割り出した利用料以外の支出 （7万4,000円）で暮らす	14万4,000円	12万9,000円
最低生活費で暮らす （障害基礎1級の場合）	13万8,000円	11万5,000円
最低生活費で暮らす （障害基礎2級の場合）	12万9,000円	10万7,000円

※生活水準が最低生活費の場合、グループホームで暮らす場合の支出は賃貸住宅と同じです。ただし家賃補助で1万円が引かれます。

（著者作成）

て異なります。函館市とさいたま市の利用料は以下のとおりです。

・北海道…5～6万円未満が最も多い
・関東……7万円以上

（令和3年度全国グループホーム実態調査報告）

お住まいの地域のグループホーム利用料の相場は、独立行政法人福祉医療機構が運営する「WAM NET（ワムネット）」というサイトで調べることができます。

WAM NETの「障害福祉サービス等情報検索」でお住まいの地域のグループホーム（共同生活援助）事業者を検索すると、その事業者の「事業者詳細情報」の「利用料等」にグループホームの利用料が公表されています。いくつかの事業者の利用料を確認すれば、お住まいの地域のグループホームの利用料の相場がわかります。もっとも、WAM NETに掲載されていない事業者や、掲載されていても利用料を公表していないところもあります。

上記の金額には、ステップ2で紹介した「それ（家賃やグループホーム利用料）以外の支出」が含まれていません。家計調査の消費支出をもとに、「それ以外の支出」の目安は以下とします。

・単身者の全国平均を水準とした場合…7万4,000円
・最低生活費を水準とした場合…5万4,000円

まとめると、3-6のとおりになります。

●障害者支援施設に住む場合

障害者支援施設の場合は、一人暮らしやグループホーム入居とは大きく異なり、収入や資産の少ない障害者は障害基礎年金の範囲内で生活ができます。

ステップ2で解説したように、入所に必要な数百万円の寄付金さえ用意できれば、親亡き後の費用を多く残す必要はありません。

支出全体を予測する

それでは295ページの計算シート3を埋めてみましょう。「どこに住むか」「どんな水準の生活を送るか」を決めたら、3-4～3-8を見て金額を記入してください。

③親亡き後の期間を出す

「親亡き後の期間」とは、障害者の親が亡くなってから、障害者本人が亡くなるまでの期間のことです。

親亡き後の期間は、子供の平均余命から親の平均余命を引くことで、おおよその予測ができます。

親の平均余命の出し方

障害者の親が現時点で健常者であれば、その平均余命は、国が毎年発表している簡易生命表から求めることができます。最新版の簡易生命表を巻末資料に掲載していますので、ご覧ください。

それでは例として、著者である私の平均余命を求めます。

簡易生命表は、男性（巻末資料3-1　314ページ）と女性（巻末資料3-2　316ページ）に分かれています。生命表の左端の列に年齢が記載されています。

私は現在49歳なので、49のところを見ます。その行の右端に書かれている数字が平均余命です。49歳の平均余命は33.44年となります。

死別などで親が一人の場合は、その一人だけ平均余命を求めれば大丈夫です。

両親ともに健在の場合には、父親・母親両方の平均余命を求めます。そのうち平均余命が長いほうを親亡き後の期間の予測に使います。

たとえば、私の妻は現在45歳なので、平均余命は42.93年です。

妻のほうが私より10年平均余命は長いので、妻の平均余命を親亡き後の期間の予測に使います。

子の余命の出し方

障害をもつわが子の平均余命は、親の平均余命のように簡単には求められません。

なぜなら、障害者（特に知的障害者や重度の精神障害者）の平均寿命は、健常者よりは短いと予想されるものの、詳細が不明だからです。

詳しくはコラムで解説しますが、統計データや研究を踏まえると、知的障害や自閉症スペクトラム障害、もしくは長期入院をするような精神疾患（たとえば統合失調症）の場合は、平均寿命は通常よりも短いと捉えます。具体的には、70歳前後となるでしょうか。

したがって子供の平均余命の求め方の一つとしては、平均寿命を70歳と仮定し、現在のお子さんの年齢を引くという考え方があります。

もっとも、この親亡き後の期間を求める理由は、親亡き後の資金をどれくらい用意したらいいかを計算するためのものですので、厳密に考える必要はありません。そのため、親御さんの考え方やお子さんの障害の内容によっては、簡易生命表によってお子さんの平均余命を算出するとしてもまったく問題はありません。

親亡き後の期間を計算する

それでは、親亡き後の期間を計算してみましょう。計算シート4（296ページ）を埋めてみてください。

著者の場合

著者の場合の「親亡き後の期間」を計算してみます。

先ほど説明したように、わが家の場合は妻のほうが平均余命が長いので、親の平均余命は43年とします。

わが子は執筆時点で7歳です。障害者の平均寿命は70歳と仮定する考え方を採用すると、余命は63年です。

子の余命から親の平均余命を引いて、わが家の親亡き後の期間は、63歳－43歳＝20年となります。

深掘りコラム

知的障害者や精神障害者の寿命が、簡易生命表で求められない根拠とは

親亡き後の期間についての解説で「知的障害者や精神障害者の平均寿命は短いと予想される」と書きましたが、少なくとも日本において、これらの障害者の平均寿命がどれくらいであるかを明らかにした統計やデータはないようです。

しかし、これらの障害者の平均寿命が短いとうかがわせる資料や研究は存在しますので、このコラムで紹介します。

まず知的障害者についてです。厚生労働省の推計によると、療育手帳を所持している人は約96万人です。そのうち65歳以上は約15万人で、所

持者全体のうち15.5%です（厚生労働省「生活のしづらさなどに関する調査」2016年（平成28年）4ページ）。

一方、総務省によると、2020年9月15日時点で日本全体の人口に占める65歳以上の人口は約29%です。

知的障害者における65歳以上の人口の割合（15.5%）は、日本全体における65歳以上の人口の割合（約29%）の約半分であることがわかります。

なぜこのような差が生じるかはわかりません。しかし、これだけの差がある以上は、知的障害者の平均余命は、正確には簡易生命表では求められません。

次に、精神障害者の場合はどうでしょうか。推計で、精神障害者保健福祉手帳を所持している人は約84万人です。そのうち65歳以上は約21万人で、所持者全体のうち約25%です。

療育手帳の所持者に比べると、日本全体の65歳以上の人口の割合と大きな差はありません。では知的障害者と違って、精神障害者の平均余命は健常者とさほど変わらないのでしょうか。

この点も慎重に検討する必要があります。精神障害者保健福祉手帳は、認知症高齢者も取得できるため、65歳以上の所持者が多いということも考えられます。

スウェーデンのカロリンスカ研究所というところが発表した研究によると、自閉症スペクトラム障害の人の平均寿命は、健康的な人の平均寿命と比べて短いそうです。また、精神科病院に長期入院をして退院された患者さんの平均余命は、一般の平均寿命に比べて22年も短かったという日本の研究もあります。

決して「精神障害者の平均余命は健常者とさほど変わらない」とは言い切れないことが伺えます。

親亡き後に残す資金を計算する

それではいよいよ、親亡き後の資金として残しておきたい金額はいくらになるのかの計算をしましょう。計算に必要な、①子の収入月額・②子の支出月額・③親亡き後の期間はここまでで具体的な数字を出してきました。あとは、計算式を埋めるだけです。296ページの計算シート5を埋めてみましょう。

著者の場合

では、復習を兼ねてわが家の親亡き後のために残す資金を計算します。

①の収入予測……8万7,000円
②の支出予測
・「どこに住むか」……うちの子どもは一人っ子なので、私の自宅不動産は最終的にはわが子のものになります。持ち家暮らしで家賃はかからないと考えます。
・「生活水準」……83ページの3-5を見ます。埼玉県さいたま市の最低生活費を基準とすると10万3,000円、全国平均を基準とすると12万9,000円です。両方のパターンで計算してみます。
③の親亡き後の期間……20年

▼最低生活費で暮らす場合
(②10万3,000 −①8万7,000) × 12 ×③20 = 384万円
▼全国平均で暮らす場合
(②12万9,000 −①8万7,000) × 12 ×③20 = 1,008万円

全国平均で暮らす場合の金額を見て、どうでしょうか。こんな大金を残すのは、無理！とびっくりさせてしまったかもしれません。

ただ、わが家の場合は「障害者扶養共済」という公的な生命保険に加入していて、私が他界した後からわが子が亡くなるまでの間、毎月4万円が支給されることになっています。

私が他界した後は、毎月4万円が親亡き後の資金として加わるので、実際には残さなければならない金額は一気に下がることになります。

「障害者扶養共済」についてはステップ5で詳しく紹介します。その前にステップ4で、「親亡き後の資金をどう貯めるか」の話をしましょう。

深掘りコラム

資金の目安だけ知りたい方は、4パターンのサンプル表をご覧ください

収入や支出によって親亡き後に残す資金がどう変わるかは、計算式の①や②の数字を入れ替えれば求められます。

しかしいちいち計算するのも面倒でしょうから、ここではわが家の場合をサンプルとし、生活水準（最低生活費か単身者の生活費の全国平均か）とどこに住むかの違いによって、親亡き後の資金額がどう変わるのかの目安を挙げておきたいと思います 3-7 。

条件は以下のとおりです。

・わが子は特別児童扶養手当1級を受給。収入予測は月額8万7,000円
・埼玉県さいたま市、または、北海道函館市に住むと仮定
・親亡き後の期間は20年と仮定

さらに端的に、計算結果の金額だけを抜き出してまとめると 3-8 のようになります。

賃貸住宅で一人暮らしをするよりは、障害者グループホームに入居した方が障害者の親亡き後に必要な資金は少ないことなどがわかります。

3-7 親亡き後の資金の変わり方のサンプル

パターン	さいたま市	函館市
最低生活費で暮らす×持ち家	384万円（②10万3,000円－①8万7,000円）×12×③20年	192万円（②9万5,000円－①8万7,000円）×12×③20年
全国平均で暮らす×持ち家	1,008万円（②12万9,000円－①8万7,000円）×12×③20年	1,008万円（②12万9,000円－①8万7,000円）×12×③20年
最低生活費で暮らす×賃貸	1,464万円（②14万8,000円－①8万7,000円）×12×③20年	912万円（②12万5,000円－①8万7,000円）×12×③20年
全国平均で暮らす×賃貸	2,496万円（②19万1,000円－①8万7,000円）×12×③20年	1,776万円（②16万1,000円－①8万7,000円）×12×③20年
最低生活費で暮らす×グループホーム	1,224万円（②13万8,000円－①8万7,000円）×12×③20年	672万円（②11万5,000円－①8万7,000円）×12×③20年
全国平均で暮らす×グループホーム	1,368万円（②14万4,000円－①8万7,000円）×12×③20年	1,008万円（②12万9,000円－①8万7,000円）×12×③20年

（著者作成）

3-8 親亡き後の資金のまとめ（目安）

パターン	さいたま市	函館市
持ち家に一人暮らし	384万円～1,008万円	192万円～1,008万円
賃貸で一人暮らし	1,464万円～2,496万円	912万円～1,776万円
グループホーム	1,224万円～1,368万円	672万円～1,008万円
障害者支援施設	数百万円（寄付金）	数百万円（寄付金）

（著者作成）

ステップ 4

親亡き後の資金をどう貯めるか

親自身の老後資金はいくら残せばよいか

ステップ3で、障害者の親亡き後の資金がおおよそどれくらいになるかの計算をしました。ここで忘れてはいけないのは、親自身の老後資金はこの金額に含まれていないということです。

では、親の老後資金はいったいいくら必要になるのでしょうか。

よく「老後の資金に2,000万円が必要だ」といわれることもあるようですが、当然のことながら親の年齢や収入、財産によって金額は変わります。一概に「いくら必要です」といえるものではありません。

ですので、親の老後資金についても「わが家の場合」の試算をする必要があります。考え方はステップ3と同じで、計算式は以下のとおりになります。

（②親の支出月額－①親の収入月額）×12〔か月〕
×③平均余命－現在から退職までの年数〔年〕＝親の老後資金

支出と収入の差額がいくらになるのかは「何歳まで働くのか」「年金は

老齢基礎年金か、老齢厚生年金か」「一人親なのか否か」「不動産を所有しているか」「住宅ローンの支払いが終わっているか」などの事情によって大きく異なるでしょう。

私は資産形成について専門知識をもっているわけではないので、あまり多くのことは語れないのですが、資産形成のポイントを簡単にいってしまえば「支出を減らして、収入を増やす」ことに尽きます。

とはいえ、食費や生活費を削って節約をするとか、仕事量を増やして給料を上げるというのはあまりにも無謀ですし、すぐに限界がきてしまいます。

そこでステップ4では、公的なしくみの中でできることは何なのかを考えていきます。

まずは支出（税金）を減らすためのしくみとして「所得控除」を、次に収入を増やすためのしくみとして、障害者の親や保護者がもらえる「特別児童扶養手当」を取りあげます。

支出（税金）を減らす

支払う税金の金額はどのように決まるのか

所得控除の話をする前に、まずは支払う税金の金額はどのように決まるのかということを簡単に説明しましょう。

読者のみなさんはご存知と思いますが、私たちになじみの深い税金として、所得税と住民税があります。所得税というのは一年間の所得に対してかかる税で、住民税というのは住んでいる地域のサービスを受けるためにかかる税です。

所得税と住民税の計算方法をわかりやすく表現すると、どちらも同じ計算式で、次のとおりになります。

（合計所得額－所得控除額）×税率－税額控除額＝支払う税金
↑この金額を「課税所得」という

計算式を見ると、私たちが支払う税金の金額は「合計所得額」「所得控除額」「税率」「税額控除額」という4つの要素から成り立っていることがわかります。

このうち「税率」は法律や条例で決まっているため、納税者としてどうすることもできません。

また「合計所得額」が少なくなれば税金も減ることになりますが、節税のために所得を減らすというのは本末転倒です。

したがって節税の基本は、納税者がある程度コントロールすることができる「所得控除」と「税額控除」です。「税額控除」を受けられるケースは「所得控除」に比べて限られているので、本書では「所得控除」を取りあげます。

所得控除とは何か

所得控除は、所得税の金額と住民税の金額を計算するときに、納税者の個人的事情を加味することを目的としたものです。

所得控除の効果の1つ目は、課税所得の額そのものを減らせるということです。これから紹介するように所得控除にはいろいろな種類がありますが、それぞれの要件に当てはまれば、合計所得額から各種所得控除の合計額を差し引くことができます。「課税所得」というのは、この差し引いた金額のことです（税金が課される分の所得、という意味）。

効果の2つ目は、税率を下げられるということです。所得税の税率は、課税所得の額によって5%から45%の7段階に分かれます。課税所得の金額が基準額を超えると、所得税の税率が上がります。逆に、課税所得の金額が基準額を下回ると所得税の税率は下がります。

したがって所得控除を受けることは、支払う税金の額を減らせる重要な手段です。さらに節税の面以外でも、この所得控除のしくみはステップ1のコラムで紹介した障害基礎年金の所得制限や、この後紹介する特別児童扶養手当の所得制限においても採用されています。ですから障害者やその家族にとって、所得控除を理解しておくことは大切です。

所得控除は、人に関する「人的控除」と「その他の控除」に分けられます。

人的控除とは何か

所得控除のうち、人的控除に当てはまるものは次の8つです。

(1) 基礎控除
(2) 配偶者控除
(3) 配偶者特別控除
(4) 扶養控除
(5) 障害者控除
(6) 寡婦控除
(7) ひとり親控除
(8) 勤労学生控除

所得控除による節税を考えるうえで重要なのは、控除額（いくら引いてもらえるか）です。すでにお話ししたように控除額が多ければそれだけ課税所得額が減り、節税額が増える関係にあるからです。

ただし、節税という観点から見ると「人的控除」は「その他の控除」と比較するとあまり役に立ちません。なぜなら人的控除は、要件に該当する人が限られるため万人向けではないからです。

たとえば、ひとり親控除はシングルで子育てをしている人しか受けられないので、配偶者がいる人は受けられません。他方、ひとり親は配偶者がいないのですから、配偶者控除や配偶者特別控除は受けられません。

また、人的控除の控除額は定額であるため、納税者自身で控除額を増やすことができないというのも欠点です。

障害者控除とは何か

「その他の控除」の説明をする前に、「人的控除」の中から、障害者やその家族にとってなじみ深い「障害者控除」について解説します。

障害者控除とは、納税者本人やその同一生計配偶者、または扶養親族が障害者である場合に受けられる所得控除のことです。

●「同一生計配偶者」とは

納税者の配偶者で、次の3つの条件に当てはまる場合をいいます。

(1) 生計が同一であること
(2) 合計所得額が48万円以下
(3) 青色専従者として給与をもらっていないこと、または白色専従者でないこと

(1) の「生計が同一であること」とは生活費や家計が同一であることです。例えば同居している夫婦に限らず、単身赴任の場合でも生計が同一ということになります。

なお (3) は納税者に不動産所得・事業所得・山林所得がある場合なので、これらの所得がない場合には関係ありません。

●「扶養親族」とは

配偶者以外の親族（6親等内の血族と3親等内の姻族）・里子・市町村か

ら養護を委託された老人で、同一生計配偶者の3つの条件に当てはまる場合をいいます。なお、血族には養親子も含まれます。

配偶者の場合と同様、同居していなくても仕送りをしていれば「生計が同一」とみなされます。

●「障害者」とは

障害者控除における障害者に当たるのは、次のとおりです。

- 精神障害により判断能力を欠く人
- 知的障害者と判定された人
- 精神障害者保健福祉手帳を持っている人
- 身体障害者手帳を持っている人

など

●「特別障害者」とは

「障害者」のうち、精神障害により判断能力を欠く人、重度判定の知的障害者、精神障害者保健福祉手帳1級・身体障害者手帳1級・2級を持っている人などは特別障害者となり、控除額が増えます。

では4-1の表で具体的な控除額を見てみましょう。

4-1 障害者控除の控除額（所得税）

区分	控除額（年額）
障害者	27万円
特別障害者	40万円
特別障害者と同居している場合	75万円

（財務省「所得控除に関する資料」「その他の所得控除制度の概要（所得税）」）

その他の控除とは何か

所得控除のうち、その他の控除に当てはまるものは次の7つです。

(1) 雑損控除
(2) 医療費控除
(3) 社会保険料控除
(4) 小規模企業共済等掛金控除
(5) 生命保険料控除
(6) 地震保険控除
(7) 寄附金控除

詳細は「所得控除　その他の控除一覧」(巻末資料4-1　318ページ)をご覧ください。

「その他の控除」は先ほど説明した「人的控除」と違い、納税者自身で所得控除を利用するかどうか、控除額を増やすかどうかをコントロールできるものがあります。

節税という観点では「その他の控除」の理解がより重要となります。

小規模企業共済等掛金控除

その他の控除の中で特に重要なのは「小規模企業共済等掛金控除」です。

この控除の対象になる掛金は、次の3つです。

(1) 小規模企業共済の掛金
(2) iDeCoなどの確定拠出年金の掛金
(3) 障害者扶養共済の掛金

●小規模企業共済等掛金控除のメリット

①掛金全額が控除の対象となる

小規模企業共済等の掛金は、その全額が所得控除の対象となります。つまり、掛金を増やすことで税の控除額をコントロールできます。

②利用するかどうかを納税者自身が決められる

3つの掛金のいずれも、加入するかどうか、いつ加入するのかを納税者自身で決められます。

③老後資金や親亡き後の備えに利用できる

小規模企業共済は小規模な会社の経営者や個人事業主の退職金の代わり、確定拠出年金は国民年金の上乗せ、障害者扶養共済は障害者の親亡き後の備えです。

つまり、将来使えるお金を増やしつつ、節税も同時にできるということです。これが、障害者やその家族にとって有益な制度であると私が考える理由です。

●3つの掛金

それでは3つの掛金について詳しく見ていきましょう。

①小規模企業共済掛金

「小規模企業共済」とは、もともと小規模な企業の経営者や個人事業主向けの制度です。会社に勤めている人と違って、経営者や個人事業主には退職金がないことが多いのです。

そういった人たちが、退職後や廃業をした場合に備えて資金を積み立てる方法の一つとしてこの制度がつくられました。

▼掛金月額

1,000円～7万円まで。この掛金の全額（つまり年間1万2,000円～84万円まで）が合計所得額から所得控除されます。月額は増やしたり減らしたりできるので、所得控除の金額を納税者のほうでコントロールできます。

▼支払い方法
月払い・半年払い・年払いから選択できます。

②確定拠出年金
厚生労働省のホームページによると、確定拠出年金とは「掛金とその運用益との合計額をもとに、将来の給付額が決定する年金制度」とあります。原則として60歳から75歳までに年金を受け取ります。小規模企業共済のように加入資格が一部に制限されていないため、老後資金の貯蓄や節税のために利用しやすい制度です。
確定拠出年金は「企業型確定拠出年金（企業型DC）」と「個人型確定拠出年金（iDeCo）」に分けられます。
企業型DCは、勤務先の会社が実施していれば加入できます。実施していない場合も、iDeCoに加入することはできます。

▼誰が掛金を支払うか
企業型DC
事業主が支払います。ただし事業主が支払う掛金に、加入者が掛金を上乗せして支払うこともできます（マッチング拠出）。
iDeCo
加入者自身が支払います。企業型DCの場合とは逆に、iDeCoでは事業主が加入者の掛金に上乗せして掛金を支払うiDeCo+という制度があります。

▼掛金月額
企業型DC
マッチング拠出で上乗せできる掛金全額は、事業主が支払っている掛金によって決まります。

iDeCo

5,000円～6万8,000円。この掛金の全額（年額6万円～81万6,000円）が、合計所得額から所得控除されます。
※掛金は年に1回変更可能

③障害者扶養共済掛金

ステップ3の最後「著者の場合の、親亡き後の資金の算出」で少しだけ登場した「障害者扶養共済」のことです。障害者の親亡き後の備えのための、公的な生命保険です。

そのため、障害児者を扶養している親などの保護者しか加入することはできません。この掛金についてはステップ5で詳しく紹介しますので、ここでは概要だけかいつまんでお伝えしておきます。

障害者扶養共済は、障害児者を扶養している保護者が、少なくとも20年間掛金を支払うことで、その保護者が死亡または重度の障害を負った場合に、障害児者が亡くなるまで、毎月2万円または4万円が支払われる公的な生命保険です。

▼掛金月額

1口5,600円～2万3,300円。金額は加入する保護者の年齢によって決まり、2口まで入れます。この掛金の全額（年額67,200円～55万9,200円）が、合計所得額から所得控除されます。

障害者扶養共済は実質的に掛け捨ての生命保険ですので、加入するかどうかは自由ですが、加入した以上は脱退すると損することになります。

また、掛金の金額は、改定がなされない限り原則として定額です。1口から2口に増やすことはできますが、2口から1口に減らすと損することになります。したがって障害者扶養共済の掛金は、納税者がコントロールすることはできません。

この二点は、小規模企業共済と確定拠出年金の掛金とは違うところですので、ご注意ください。

深掘りコラム

「小規模企業共済等掛金控除」以外のその他の控除のデメリットとは

ここまでお話ししてきたことをまとめると次のようになります。

所得控除はまず「人的控除」と「その他の控除」に分かれます。万人に対しておすすめできるのは、要件に該当する人が限られない「その他の控除」です。そして「その他の控除」の中でもっともおすすめできるのは「小規模企業共済等掛金控除」です。

しかし「その他の控除」に含まれる、生命保険料控除・地震保険料控除・寄附金控除も、小規模企業共済等掛金控除と同じく、利用するかどうかを納税者が決めることはできます。では、これらの控除と小規模企業共済等掛金控除の違いは何なのでしょうか。このコラムで少しふれておきましょう。

●生命保険料控除と地震保険控除

この2つは、所得控除の最高限度額が決まっています。したがって節税効果は低いです（詳しくは、「所得控除　その他の控除一覧」（巻末資料4-1 318ページ）の中の「控除額の計算方式」の列を参照）

●寄附金控除

これは単純な話で、寄付というのは対価のない支出ですので、節税をするために寄付をするというのは本末転倒です。

●社会保険料控除

支払った全額が所得控除されるというのは小規模企業共済等掛金控除と同じです。

しかし、社会保険料（国民年金保険料・〔国民〕健康保険料・介護保険料など）は、支払い義務があるため、社会保険料を支払わないということはできません。また、社会保険料の金額を納税者自身で増やしたり減らしたりすることが基本的にはできないため、控除額もコントロールできません。つまり、納税者がコントロールできる要素はありません。

●雑損控除

住宅家財の災害・盗難などが生じた場合に利用できる所得控除ですので、毎年受けられるものではありません。

●医療費控除

支払った医療費が基準額以上（10万円以上など）でないと使えません。雑損控除と同じく、毎年受けられるものではないといえるでしょう。

深掘りコラム

「所得」と「収入」の違いを知っておきましょう

この章の冒頭で「合計所得額」という単語が登場しました。よく「所得」というと、ご自身の収入のことと思われる方がいます。しかし、会社からもらう収入は正式には「給与所得」といい、あくまでいくつかある所得の中の一つです。

このコラムでは、おもな所得には何があるのかを紹介します。参考までに、それぞれの所得がどのような計算式で求められるのかも掲載しました。

●給与所得

勤務先から支払われる給料・賃金・ボーナスなどの所得をいいます。金額は会社などから配布される源泉徴収票の「給与所得後の金額」欄に記載されています。

計算式：給与所得＝収入金額（額面の給与額等）－給与所得控除額

●事業所得

個人事業主やフリーランスなどが営んでいる事業から生じた所得をいいます。会社員が副業で事業を営んでいる場合の所得も事業所得になります。

計算式：事業所得＝売上金額－必要経費

●不動産所得

土地や建物を賃貸したときの賃料などの所得をいいます。

計算式：不動産所得＝収入額（賃料、共益費、礼金、更新料など）－必要経費

●退職所得

退職により勤務先から支払われる退職金などの所得のことです。

計算式：退職所得＝（収入額－退職所得控除額）×２分の１

●一時所得

競輪や競馬の払戻金や、生命保険の満期保険金や解約返戻金などの所得のことです。

計算式：一時所得＝収入額－必要経費－特別控除額（最大50万円）

一時所得の必要経費とは、支払い済みの生命保険料などです。

なお、一時所得の金額全部に対して税金がかかるわけではなく、税金がかかるのは一時所得を２分の１した金額です。

●雑所得

これまでに紹介した給与所得、事業所得などに当てはまらない所得のことです。

たとえば、国民年金や厚生年金などの公的年金等が雑所得になります。

計算式：雑所得＝収入金額－公的年金等控除額

これらの所得が、税金が課される所得です。対して、税金が課されない所得は「非課税所得」と呼びます。すでにステップ1で紹介した障害基礎年金や、ステップ5で紹介する障害者扶養共済の年金は非課税所得にあたります。

収入とは、自分のものになったお金や物のことです。収入がすべて所得になるわけではありません。収入のうち必要経費などを差し引いた利益の部分が所得ということになります。また、収入のうち、所得にならないものもあります。たとえば、親が亡くなったことで相続したお金や物は収入であるものの、所得にはあたりません。

収入を増やす

ここからは、収入を増やす手段の一つである「特別児童扶養手当」の解説に入ります。

これは20歳未満の障害児をもつ保護者だけが受け取れる国の手当です。障害をもつわが子が20歳を超えていて受給資格がない方は、読み飛ばしてもらってもかまいません。

特別児童扶養手当とは何か

特別児童扶養手当とは、20歳未満の障害児を育てている保護者（ここでいう保護者には、親はもちろん、血のつながりがなくても障害児と同居し面倒を見ている人も含まれる）に対して支給される、月数万円の手当のことです。

「特別児童扶養手当等の支給に関する法律」という法律にもとづいて支給される手当なので、お住まいの都道府県にかかわらず支給されます。

ここではいくらもらえるのかを確認しましょう。申請の流れや要件などの詳細を知りたい方は111ページのコラムをご覧ください。

●支給対象の「障害」とは

特別児童扶養手当でいうところの「障害」とは、以下のことです。

・身体障害
・知的障害
・精神障害（発達障害も含む）

●支給月額

・重度（1級）5万3,700円
・中度（2級）3万5,760円

上記の金額は、2023年4月分からのものです。毎年支給額が改定されます。

特別児童扶養手当の所得制限

特別児童扶養手当で気をつけなければならないのは、所得制限です。

「所得制限」という単語はステップ1で紹介した障害基礎年金のときにも登場しましたが、特別児童扶養手当の場合は障害児の保護者などの所得が一定の基準を超えると、一年間支給が停止してしまいます。このことは

4-2 特別児童扶養手当の所得制限額

扶養親族等の数	受給資格者本人		受給資格者の配偶者及び扶養義務者	
	所得額（年額）※1	参考：収入額の目安（年額）※2	所得額（年額）※1	参考：収入額の目安（年額）※2
0	459万6,000円	642万円	628万7,000円	831万9,000円
1	497万6,000円	686万2,000円	653万6,000円	858万6,000円
2	535万6,000円	728万4,000円	674万9,000円	879万9,000円
3	573万6,000円	770万7,000円	696万2,000円	901万2,000円
4	611万6,000円	812万9,000円	717万5,000円	922万5,000円
5	649万6,000円	854万6,000円	738万8,000円	943万8,000円

受給資格者（障害児の父母等）もしくはその配偶者または生計を同じくする扶養義務者（同居する父母等の民法に定める者）の、前年の所得が一定の額以上であるときは手当は支給されない
※1　所得額は、地方税法の都道府県民税についての非課税所得以外の所得等から、医療費控除、障害者控除及び寡婦控除等の額を差し引いた額
※2　ここに掲げた収入額は、給与所得者を例として給与所得控除額を加えて表示した額

（厚生労働省「特別児童扶養手当について　所得制限」令和3年8月以降適用）

「特別児童扶養手当等の支給に関する法律」という法律の6条、7条で規定されています。

では、具体的にいくらを超えると所得制限がかかってしまうでしょうか。その基準額は人によって異なります。4-2を見てみましょう。

この表の見方を説明しましょう。

●表の第2列目にある「受給資格者本人」というのは、20歳未満の障害児を育てている保護者本人であり、特別児童扶養手当を受給する人のことです。

●第3列目の「扶養義務者」とは、おもに次のような人を指します。

・受給資格者本人と生計が一緒の親、祖父母、子や孫、兄弟姉妹など

●第1列目の「扶養親族等」とは、次のような人を指します。
・配偶者または親族で
・生計が一緒で
・年間の給与が103万円以下、または年間の所得が48万円以下
などの条件に該当する人

たとえば、専業主婦や未成年者は扶養親族にあたります。共働きだと配偶者は「扶養親族等」に含まれない場合もあります。

つまり所得制限は、受給資格者本人やその生計が一緒の配偶者や扶養義務者の所得額が一定の基準を超えたときに発生しますが、その基準額がいくらになるのかというのは、扶養親族等の人数（障害をもたない家族も含む）によって変わるということです。

ちなみにこの表の「収入額の目安」は、給与所得者（会社員やパート・アルバイトとして、所属する会社から給与をもらって勤務している人）を例としています。

個人事業主や経営者の場合は、収入額がこの表の金額以上でも特別児童扶養手当がもらえることもあります。ご自身が所得制限の対象に含まれるかどうかは、市区町村の窓口でご確認ください。

所得制限を回避するには

特別児童扶養手当は、障害をもつわが子が20歳をむかえるまで、つまり最大20年近くもらえる手当です。できれば所得制限には引っかからずにもらい続けたいというのが障害児をもつ保護者の本音でしょう。

では、この所得制限を回避する方法はあるでしょうか。所得隠しなどではなく、法にかなった回避方法があります。

ここで登場するのが「支出を減らす」で紹介した所得控除、特に小規模

企業共済等掛金控除です。

108ページの **4-2** に書かれている「所得額」とは、以下の所得控除を適用したあとの金額になります。

▼人的控除
・配偶者特別控除
・障害者控除
・寡婦控除
・ひとり親控除
・勤労学生控除

▼その他の控除
・雑損控除
・医療費控除
・小規模企業共済等掛金控除など

先ほど説明したように、この中で特別児童扶養手当の受給資格者本人が、控除を利用するかどうか、控除額をいくらにするかをコントロールできるのは、小規模企業共済等掛金控除だけです。

小規模企業共済等掛金を満額利用しても、所得制限に引っかかる場合はどうしようもありません。しかし、そうではない方は、iDeCoや障害者扶養共済の加入をぜひ検討してみてください。

深掘りコラム

特別児童扶養手当の申請の流れを押さえておきましょう

このコラムでは、「収入を増やす」手段として紹介した、特別児童扶養手当の手続きや認定方法、手当をもらえる要件について詳しく解説します。これから扶養手当の申請を検討する方はぜひ参考になさってください。

●手続きをおこなう場所

特別児童扶養手当の申請は、お住まいの市区町村でおこないます。

市区町村のサイトに、特別児童扶養手当の申請方法が掲載されていますので、事前に調べておきましょう。

●申請に必要なおもな書類

・特別児童扶養手当認定請求書（窓口で取得）
・特別児童扶養手当用の診断書（窓口で取得後、専門の医師が記入したもの）
・戸籍謄本と世帯全員の住民票の写し
・受給資格者、同一生計配偶者、扶養義務者の所得の証明書（課税証明書など、マイナンバーを記入することで省略化）
・振込先口座の通帳またはキャッシュカード
・印鑑

※障害の種類やお住まいの地域によって、特別児童扶養手当の申請に必要な書類が異なることもあります。詳しくはお住まいの市区町村の窓口でご確認ください。

2つ目の「特別児童扶養手当用の診断書」は、専門の医師の診断書が必要です。

ただし、特別児童扶養手当の申請には療育手帳は不要ですが、すでに療育手帳を取得している場合には、診断書の提出が省略されることもあります。

なお、療育手帳を取得していない場合には、その申請の際に児童相談所で療育手帳の診断書と一緒に、特別児童扶養手当用の診断書も作成してもらえます。療育手帳と特別児童扶養手当の両方を一緒に申請すると、スムーズに進むのでおすすめです。

●認定方法

特別児童扶養手当の認定方法は、書類審査です。

子どもが知的障害や発達障害の場合、診断書の記載内容が認定において重要となります。

特に、療育手帳の等級が軽度の場合には、特別児童扶養手当が支給されないおそれがありますので、主治医や専門医の診断書の記載内容がたいへん重要となります。

医師の診断書の重要性については、ステップ1の25ページ「障害基礎年金を申請するには」のところで解説しています。なぜ診断書が重要なのか、適切な認定を受けるためにはどうすればいいのかもそこで詳しくお話ししています。特別児童扶養手当の認定についても基本的な考え方は同じですので、ぜひそちらをお読みください。

●支給開始時期

都道府県知事や政令指定都市市長からの認定を受けて、特別児童扶養手当をもらえることになった場合には、認定を請求した月の翌月から手当が支給されます。

支給される月は原則として4月、8月、12月で、4か月分まとめて指定した銀行口座に振り込まれます。

特別児童扶養手当は、それがもらえる程度の障害があっても、認定を請求しなければもらえません。つまり、認定の請求が遅れるとそれだけ支給される総額が減ることになりますので、まだ手当をもらっていないという方は、なるべく早く申請を進めてほしいと思います。

●手当がもらえる要件

比較的基準がわかりやすい身体障害については省略して、知的障害・発達障害に絞って解説します。

厚生労働省は、特別児童扶養手当の障害程度（1級か2級か）の認定に

4-3 知的障害の場合／特別児童扶養手当の障害認定基準

障害の程度	障害の状態	知能指数
1級	知的障害があり、食事や身のまわりのことをおこなうのに全面的な援助が必要であって、かつ、会話による意思の疎通が不可能か著しく困難であるため、日常生活が困難で常時援助を必要とするもの	おおむね35以下
2級	知的障害があり、食事や身のまわりのことなどの基本的な行為をおこなうのに援助が必要であって、かつ、会話による意思の疎通が簡単なものに限られるため、日常生活にあたって援助が必要なもの	おおむね50以下

（「特別児童扶養手当等の支給に関する法律施行令別表第3における障害の認定について」第7節／精神の障害　2認定要領　D知的障害）

4-4 発達障害の場合／特別児童扶養手当の障害認定基準

障害の程度	障害の状態
1級	発達障害があり、社会性やコミュニケーション能力が欠如しており、かつ、著しく不適応な行動が見られるため、日常生活への 適応が困難で常時援助を必要とするもの
2級	発達障害があり、社会性やコミュニケーション能力が乏しく、かつ、不適応な行動が見られるため、日常生活への適応にあたって援助が必要なもの

（「特別児童扶養手当等の支給に関する法律施行令別表第3における障害の認定について」第7節／精神の障害　2認定要領　E発達障害）

ついて、その認定基準を公表しています。なおこの基準は、障害基礎年金の障害認定基準とほぼ同じです。

それでは、知的障害・発達障害それぞれの認定基準を確認しましょう。4-3と4-4をご覧ください。

なお、「知能指数のみに着眼することなく、日常生活のさまざまな場面における援助の必要度を勘案して総合的に判断する」と注意書きがありますので、知能指数だけで決まるわけではなく、軽度の知的障害でも特別児童扶養手当をもらっているケースはあります。

この基準からは、知的障害も発達障害も、日常生活を送るうえで常に援助が必要か、常にではないものの援助が必要な場合には特別児童扶養手当をもらえる、と理解していいでしょう。

ただしこの基準は曖昧であるため、特別児童扶養手当の認定を実際におこなっている認定医によって、結果が異なります。

そのため、都道府県や政令指定都市によっては、特別児童扶養手当がもらいやすいところと、そうではないところの格差が出てしまっているのが現状です。引っ越す前にはもらえていたのに、引っ越ししたらもらえなかったということもあります。

特別児童扶養手当は、国の法律によって支給されるものなので、本来地域格差があってはいけません。先ほど書いたように、特別児童扶養手当の障害認定基準と障害基礎年金の認定基準はほぼ同じです。

ステップ1でお話ししたように、昔は障害基礎年金も認定基準だけを判断材料にしていたため地域格差が生じてしまい、その曖昧さを解消するためにさらに詳しいガイドラインが採用されたという経緯がありました。特別児童扶養手当においても対策をとらなければ、昔の障害基礎年金と同じような地域格差が生まれることは当然です。

現在、厚生労働省では、特別児童扶養手当においても詳細な認定基準を作り、地域格差を無くそうという動きがあるようです。

ステップ 5

親亡き後の資金をどう残すか

財産を残す5つの方法

ステップ5では、障害のある子どものために、親はどのような方法を使って自分の財産を残せばいいかということを考えていきます。障害者の親亡き後の問題として一般的によく取り上げられるのは、この部分の話かと思います。

代表的なものは次の4つです。

・遺言
・贈与
・生命保険
・信託

この本では、私が障害者の親におすすめしたい制度として、これまでも少しふれてきた下記を5つ目としてつけ加えたいと思います。

・障害者扶養共済

障害者扶養共済は、生命保険の一つなのですが、大事な公的な制度なので、生命保険とは別に紹介します。

この中からどれか1つを選ぶというご家庭もあれば、必要なものをいくつか組み合わせるというご家庭もあります。どんな場合も一律にどれか1つを選べばいいというわけではないところが、悩ましいところです。

では、そもそも財産を残す方法を決めずに障害者の親が亡くなった場合はどうなってしまうのでしょうか。

財産を残す方法を決めずに親が亡くなると

まとまった金額の預貯金がある父が亡くなり、配偶者である母と障害のある子どもが残された場合について考えていきます 5-1 。

5-1 父が亡くなった場合

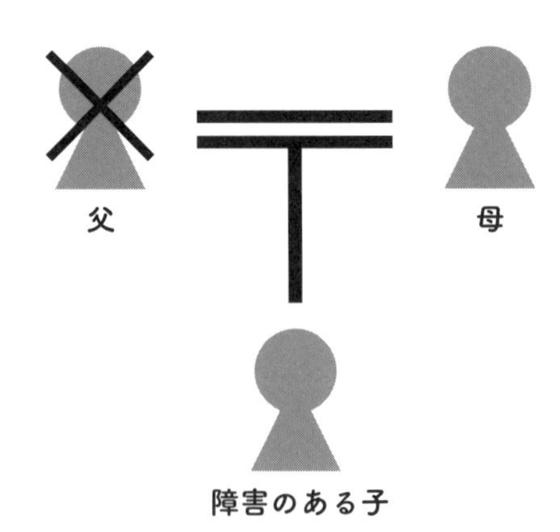

（著者作成）

●父の財産はどうなるか

父が亡くなった時点で、父が単独で所有していた財産は、相続財産として、相続人である母（父の配偶者）と障害をもつ子どもで共同して所有すること（共有）になります。

●財産の処分（預貯金の解約など）のハードル

共有されている財産は遺産分割の話し合いをして、どの財産をどの相続人が相続するかを決めるか、相続人全員が同意しなければ処分することはできません。

たとえば、父名義の預貯金を解約して母と障害者をもつ子どもで半分ずつに分ける場合、原則として母が一人で解約の手続きをすることはできません。

一般的には、亡くなった人の預貯金を解約するためには、相続人全員の署名と実印による押印と印鑑登録証明書が必要になります。

相続人全員が健常者であれば、署名することや、実印を市区町村に登録することは問題なくできます。

しかし、相続人に知的障害や精神障害などが理由でそのような手続きを理解し実行することが難しい障害者がいると、預貯金の解約のハードルが一気に上がります。

●成年後見人をすすめられる可能性

このような場合に、銀行などに対して「相続人に障害者がいまして、署名が難しく、印鑑登録証も用意できません。なんとかならないでしょうか?」と相談すると、おそらく多くの金融機関は「障害をもつ相続人の方に成年後見人などをつけ、手続きを代理でやってもらわないと、預貯金の解約はできません」と答えるでしょう。

そうなると預貯金の解約をあきらめて放置するか、家庭裁判所に成年後見人を選任してもらうための申し立てをしなければなりません（預貯金の額が100万円未満などの低額であれば、相続人の代表者一人で解約の手続きができる金融機関もある)。

また、母と障害のある子どもで「いったん母が財産を全部相続する」という遺産分割の協議をして、預貯金を解約したあとに2人で分けるという方法も考えられます。

しかしこの協議内容を成り立たせるためには、相続人全員の署名及び実印での押印がされた遺産分割協議書と印鑑登録証明書の提出が必要です。つまりこの方法でも結局は成年後見人の選任が必要となってしまうのです。

このように財産を残す方法を決めずに親が亡くなると、成年後見人の選任をしてもらわないと、預貯金ひとつ解約することもできないということになりかねません。

のちほど詳しく解説しますが、たとえば父が生前に遺言書を作成し、遺言執行者を母に指定しておけば、母は一人で預貯金の解約をすることができ、このような事態は簡単に回避できます。

残された家族（相続人）が面倒な事態に陥らないよう、特に相続人に障害者がいる場合には、財産を残す方法を生前に決めておくことが大切なのです。

相続の基礎知識

この章の冒頭で紹介した「遺言」「贈与」「生命保険」「信託」「障害者扶養共済」の解説の前に、相続に関する基礎知識を解説しましょう。

これらの財産を残す5つの方法は、相続による不便や不都合を回避するためのものです。そのため相続についてもある程度の理解をしておかないと、5つの方法の特徴や、メリット・デメリットについても十分に理解しにくくなります。

「相続人」とは誰のことか

「相続」とは、亡くなった人（被相続人）の財産を、配偶者や子どもなどの親族（相続人）が包括的に受け継ぐことです。
「財産」には、お金・不動産・株式などのプラスの財産は当然のこと、借金・ローンなどのマイナスの財産も含まれます。
「包括的に受け継ぐ」とは、個別の財産を指定して受け継ぐかどうかを決めることはできず、相続するか否かを決めることしかできませんよ、ということです。つまり、プラスの財産は受け継ぐけれどマイナスの財産は受け継がない、ということはできません。
　そして「相続人」にあたるのが誰かということは、民法という法律で定められています。相続人になれるのは、亡くなった人の配偶者と子どもです。子どもがいない場合には親、親がいない場合には兄弟姉妹も相続人になります。しかし、本書では障害のある子どもの親亡き後の備えがテーマですので、相続人は配偶者と子どもの場合に限定して解説します。

　配偶者とは、婚姻届を提出している夫または妻のことです。したがって婚姻届を提出していない内縁や事実婚、同性パートナーには相続権はありません。
　もちろん一般的には、配偶者はいるけれど子どもはいないという場合もありますし、独身の場合や、配偶者も子どもも亡くなっているという場合もありますが、上記と同様の理由で本書では障害のある子どもが相続人であることを前提として話を進めます。

「誰にいくら相続する」はどうやって決まるのか

法定相続分

民法では、相続人のうち誰にどれだけの財産を相続させるかを定めた原則があります。これを「法定相続分」といいます。法定相続分は、相続人の人数や誰が相続人かによって異なります。

もし相続人が1人しかいない場合は、相続分は当然に1人がすべて受け継ぐことになります。相続人が配偶者と子どもの場合、配偶者の相続分は2分の1、子どもの相続分も2分の1です（5-2）。

日本は一夫一妻制度を採用していますので、配偶者は1人しかいません。ただし、子どもは2人以上いる場合があります。子どもどうしは対等に扱われますので子の相続分を人数で頭割りします。

5-2 相続人が配偶者と子ども1人の場合

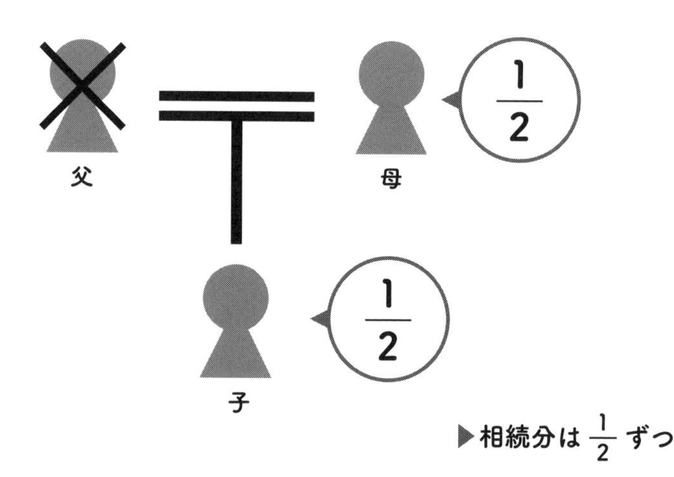

（著者作成）

たとえば、子どもが3人いる場合を考えてみましょう。

配偶者がいる場合は、まず配偶者の相続分が2分の1。子どもは残りの2分の1をさらに3で割るので、それぞれ6分の1ずつとなります5-3。

死別や離婚などで配偶者がいない場合は配偶者の相続分がないので、財産全体を子どもの頭数で割って、それぞれ3分の1ずつとなります5-4。

法定相続分とは異なる割合で相続をしたい場合は、相続人どうしの話し合いで変更することもできます。先述したように「いったん配偶者にすべて相続させる」ことや、「後継者である長男に全財産を相続させる」といったことも可能です。この話し合いのことを「遺産分割協議」といいます。

遺留分

法定相続分とセットで理解しておきたいのが「遺留分」です。

遺留分とは、遺言によっても奪うことができない、一部の相続人（亡くなった人の配偶者・子・親。兄弟姉妹には認められていない）が最低限もらうことができる遺産の取得分のことです。

遺留分は「法定相続分の何割」という定められ方をしていて、配偶者と子どもの場合であれば「法定相続分の2分の1」が遺留分となります。つまり配偶者の遺留分は4分の1です。子どもの遺留分は、子どもが1人であれば4分の1、子どもが2人であればそれぞれ8分の1ずつ、子どもが3人であればそれぞれ12分の1ずつとなります。

なぜこのようなしくみがあるのかというと、一部の相続人に不利な遺言が残された場合に備えてです。

先ほど少しふれたように「法定相続分」とはあくまで、相続割合を民法上で定めた原則にすぎません。

ですから遺産分割協議で異なる割合の分割をすることも可能ですし、あらかじめ遺言書で異なる割合を指定して相続をさせることももちろん可能です。

5-3 相続人が配偶者と子ども3人の場合

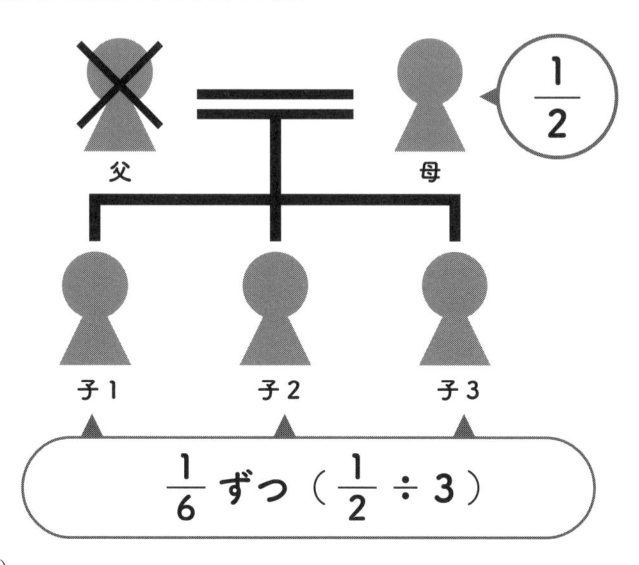

（著者作成）

5-4 相続人が子ども3人の場合

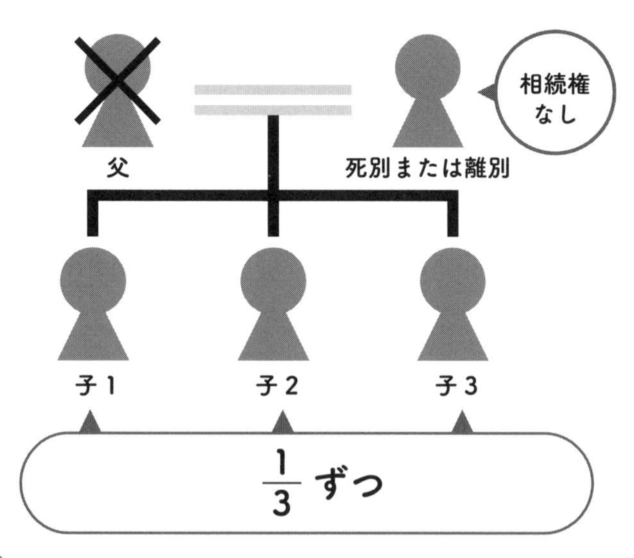

（著者作成）

たとえば、相続人が配偶者と子ども1人の場合で、父親が「妻（配偶者）に財産のすべてを相続させる」という内容の遺言書を書いて亡くなったとします。遺留分のしくみがなければ、子どもは1円も遺産を受け取れません。

しかし、遺留分のしくみがあることによって子どもには遺産の4分の1を遺留分としてもらう権利が残ります。この遺言書は子どもの遺留分を侵害していることになりますので、遺留分が侵害された子どもは、すべての遺産を相続した配偶者（自分の母親）に対して、遺留分に相当するお金を支払うように請求することができます。

このような権利を「遺留分侵害請求」といいます。

遺留分侵害請求をするのは、遺留分が侵害された相続人（損をする人）です。

たとえば、健常者の相続人の遺留分を侵害し、障害者の相続人（障害をもつ子ども）に法定相続分よりも多く残した場合、健常者の相続人は障害者の相続人に対して、遺留分侵害を請求できます。

実際に請求をするかどうかは遺留分を侵害された相続人次第ですが、遺言書が書かれた時点で、損をする本人がその趣旨などについての説明を受けて納得していない限り、請求をするほうが多数派でしょう。

そのため自分の死後に、残された家族間で争ってほしくないという人は、自分の財産を家族に残す方法を考えるとき、遺留分を侵害しないことです。

遺留分は、遺言書を書くときだけではなく、信託、贈与、生命保険においても問題になります。

遺産分割

すでに説明しましたが、相続とは、亡くなった人の財産を相続人全員で包括的に受け継ぐということです。つまり、相続人全員で遺産を共同して所有（共有）している状態になります。

共有している状態では、各相続人が遺産を自由に売却したり、処分したりすることはできません。売却や処分には相続人全員の同意が必要です。「処分」には預貯金の解約なども含まれます。先ほどお話ししたように、原則として相続人全員の同意がなければ、亡くなった人の預貯金を解約して払い戻すことはできないのです。

ただ、それではあまりにも使い勝手がよくないので、相続人どうしで話し合って、全員で遺産を共有している状態から、個人がそれぞれの割合を所有している状態へと遺産を分け合います。これを「遺産分割」といいます。

「遺産分割」というと、何やら面倒な手続きが必要なように感じられるかもしれませんが、そんなに難しく考える必要はありません。

たとえば先ほどの、亡くなった人の預貯金については、

(1) 相続人全員で解約に同意して払い戻しを受ける

(2) 払い戻したお金を法定相続分に従って分ける

で、おしまいです。

ですので遺産が預貯金だけであれば「遺産分割協議書」と呼ばれる、遺産の分け方を紙に残したものを作る必要は特にありません。実際、私の母が亡くなったときには、私と父との間で遺産分割協議書は作らずに預貯金を解約して、相続手続きは終了しました。遺産に自宅などの不動産が含まれる場合も、法定相続分どおりに相続する場合は遺産分割協議書は不要ですので、健常者のみで手続きをおこなえます。

ただし、不動産を法定相続分以外の割合で相続する（たとえば父名義の不動産を、母のみが相続するなど）場合は遺産分割協議書が必要です。所有者の名義変更をする登記手続をおこなう際に、誰がどういう割合でその不動産を所有するのかも登記しなければならず、その証明のために遺産分割協議書を法務局に提出しなければならないからです。

余談ですが、不動産の名義を変更する登記手続には費用がかかることから、経済的な価値がなく売れない不動産は、名義変更をせず放置されるということもありました。たとえば、父が亡くなったあとも、相続人である母・子がそのまま自宅に住み続ける場合には名義を変更する必要がないので、父（亡くなった人）名義のままにしておくといったケースです。

しかし2024（令和6）年からは、不動産を相続したときには不動産の名義変更を怠ると過料（金銭的負担）という制裁が課されるようになりましたので、ご注意ください。

家庭裁判所の調停と審判

相続人どうしの仲がよい場合には、遺産分割の話し合いはスムーズに進みます。一般的には、法定相続分に従って分けるということになります。

しかし、相続人どうしの仲があまりよくない場合や、特定の遺産がほしい相続人がいる場合には遺産分割の話し合いが難航することがあります。

遺産分割の話し合いは、相続人全員が納得して合意しなければなりません。全員の合意が成立しない場合は、家庭裁判所で中立的な第三者を挟んで話し合うことになります。この家庭裁判所での話し合いを「調停」といいます。調停で話し合っても相続人全員が合意できない場合は、最終的には家庭裁判所が法律に則って、遺産分割について審判します。

家庭裁判所で遺産分割調停をする際に、相続人の中に判断能力に問題のある障害者がいると、これもまた成年後見人などを選任しないと調停手続きを進めることができません。

したがって、できれば生前に、相続人どうしが揉めないような財産の残し方をしておく必要があります。

相続についての基礎知識の解説は以上です。

それではいよいよ、障害のある子どものために財産を残すための5つの方法「遺言」「贈与」「生命保険」「信託」「障害者扶養共済」について一つずつ解説していきます。

財産を残す方法①
遺言

遺言とは何か

遺言とは、自分の財産を自分の死後にどのように処分するかを決めて、法律に則った遺言書を作成することでその処分内容を実現するものです。

なお遺言書は、自分で書く「自筆証書遺言」か公証人に作ってもらう「公正証書遺言」のどちらかの方式が一般的です。この2つの方式についてはコラムで詳しく解説します。

メリット
誰に・何を・どれだけ残すか指定できる

遺言の基本的な特徴は「自分の財産を誰に残すか決められる」ということです。全財産をまとめて誰か1人に残すこともできますし、持ち家は配偶者に、預貯金は障害のある子どもにというふうに財産ごとに残す相手を決めることもできます。相続人全員に均等に財産を配分して残すこともできれば、残す相手によって割合や金額を変更することもできます。

さらに残せる相手は相続人や家族に限られません。赤の他人に財産を残すこともできます。

デメリット
「毎月〇万円ずつ」は渡せない

このように遺言を残せば、それなりに柔軟な残し方ができます。しかし、遺言にもできないことがあります。それは、預貯金などの遺産を「月々10万円」というように分割して渡すことです。

障害のある子どもを持つ親の中には、わが子にお金をいっぺんに渡すのが心配という人もいると思います。いっぺんに渡してしまうと、適切な使い方を判断できず浪費してしまうかもしれません。また、大金があると騙し取ろうとする悪い人が近寄ってくるかもしれません。なので、月々に少額ずつ分割で渡したいと考える人もいるでしょう。しかし、遺言ではこの希望は実現しません。

このように、定期的に分割して渡すということは、信託、贈与、生命保険なら可能です。ですので、この点を重視する場合は、遺言ではなく、そのほかの3つの方法を選択することになります。

遺言執行者の指定が肝心

遺言書を作るとき絶対に忘れてはいけないのは「遺言執行者を遺言書の中で指定しておくこと」です。この指定を忘れたら、わざわざ遺言書を作った意味が半分ぐらいなくなってしまいますのでご注意ください。

遺言執行者とは、遺言書に書かれている内容を実現する権限が与えられている人のことです。民法で「遺言執行者は、遺言の内容を実現するため、相続財産の管理その他遺言の執行に必要な一切の行為をする権利義務を有する」というふうに定められています。

「相続の基礎知識」のところで、財産は相続人に対して包括的に承継されるため預貯金の解約も相続人全員の同意がなければおこなえないという話をしました。

しかし遺言執行者であれば預貯金の解約・不動産の名義変更なども1人ですることができます。そのため、障害のある子どもが相続手続きに関与しなくても、相続手続きを完了させることができます。

遺言執行者は、未成年と破産をした人以外であれば、家族以外の他人であっても誰でもなれます。ですので、相続人の中から誰かを指定すれば大丈夫です。遺言執行者の指定の方法は簡単で、たとえば次のような文章を遺言書に記載するだけです。

「第○条　私は、本遺言の遺言執行者として、配偶者○○を指定する」

遺言を残した人が亡くなった後、指定されている人が遺言執行者になることを承諾すれば、遺言執行者として権限を得ることになります。

逆にいえば、指定された人の承諾がなければその権限は消滅し、遺言執行者を指定していないのと同じことになってしまいますので、事前に遺言執行者になってもらう相手にそのことを伝えて、内諾を得ておくことが肝心です。

遺言執行者に指定された人が、加齢や病気などで遺言執行者になることが難しく、承諾してくれないこともありえます。また、遺言書は書いたけれど、遺言執行者に指定した人が先に亡くなっていたり、遺言執行者の指定をし忘れたりすることもあります。

そのような場合には、家庭裁判所に遺言執行者の選任を求めることができます。遺言執行者の指定よりは必要な手続きが増えることになりますが、相続手続きに関与することが難しい障害者がいる場合には、先ほどお話ししたとおりの理由で遺言執行者がいたほうが何かとスムーズに進みます。

遺言書は「基本の備え」と考えて

「遺言書」というとドラマや映画などのイメージから「資産家が用意するもの」「わが家にはそんなに財産はないので、いらないんじゃないかな」と考える人が少なくないかと思います。

確かに相続人が全員健常者であれば、財産の大小にかかわらず、相続人が協力して相続手続きをおこなうことができます。

しかしこれまでお話ししてきたように、相続人の中に相続手続きに関与するのが難しい障害者がいると、一気に手続きが面倒になり、残された家族（相続人）が困るだけです。それを手っ取り早く回避するのが遺言書を作成し、その中に遺言執行者を指定しておくことです。

障害のある子どもに財産を残す5つの方法のうち、まずは基本の備えとして「遺言」を選び、それでは足りない部分を残りの「信託」「贈与」「生命保険」で補うというのが私の考え方です。

ステップ3で算出した「親亡き後の資金」が貯まる前であっても、家族に安心を残すための最低限の備えとして、まずは遺言執行者を指定した遺言書を作っておきましょう。

深掘りコラム

「どちらが家族の現状に適しているか」で、作成する遺言の種類を選びましょう

遺言には、普通方式として3種類、特別方式として4種類の計7種類の方式があります。

一般的なのは、自分で書く「自筆証書遺言」と公証人に作成してもらう「公正証書遺言」の2つです。その他の5つの方式については特に知る必要はないので、説明は割愛します。

まずは、それぞれの特徴をざっくりと説明しましょう。

●自筆証書遺言

・簡単にいうと、手書きの遺言書。手書きなので、誰にも知られずに1人で作ることができる。便箋などに手で書くだけなので簡単に作ることもできる
・ほとんど費用がかからない
・自分で手書きで作成する遺言書なので、法律が求める要件に合わず無効になるリスクがある

●公正証書遺言

・公証人という法律の専門家が作成する遺言書。公証人に作ってもらう必要があるので、1人で簡単に作ることはできない
・公証人に提出するための必要書類を用意しなければならない
・公証人に作成してもらう関係上、交証人に支払う費用（手数料）がかかる。この手数料は残す財産の金額が増えると高くなる
・公証人という遺言書作成のプロフェッショナルが作成するので、遺言書の内容が無効になるということはまずない

自筆証書遺言の従来のリスクとしては、上で挙げたように、いざ蓋を開けてみたら、遺言書の形式が法律の求める要件に合っていなくて自筆証書遺言が無効になる、というケースがありました。

しかし、2020年7月から、「法務局における遺言書の保管等に関する法律」にもとづいて、「自筆証書遺言」を法務局に保管することができるようになり、法律の要件に沿った自筆証書遺言であるかどうかを、法務局の職員が保管する際にチェックしてくれるようになりました。要件に不備があった場合には保管してくれないので、制度を利用することでこのリスクは大幅に減りました。誰かに偽造されたり紛失したりということもなくなります。また、保管の際に登録しておけば、遺言者の死亡したことを法務局が知った時点で、指定した人に遺言者の死亡が通知されます。

加えて、保管制度ができる前は、遺言を書いた人が亡くなった後、自筆証書遺言に関しては家庭裁判所で「検認」という遺言書の中身を確認する手続きを経なければなりませんでした。これもまた、法務局に保管することによって不要になります。

かつては、公正証書遺言のメリットとして「偽造・紛失のリスクがない」とか「家庭裁判所の検認の手続きが不要である」ということが挙げられていましたが、この法務局による保管制度が生まれてからは、公正証書遺言固有のメリットとはいえなくなりました。

さて、では自筆証書遺言と公正証書遺言、いったいどちらを選べばいい

のでしょうか。

「障害者の親亡き後」という観点から考えると「遺言書の作成時期によって、より適している方法を選ぶ」というのが私の回答です。

したがって「どちらも作成する」ということもあり得ます。どちらか一方を選ばなきゃいけない、と考える必要はありません。

もう少し具体的にお話ししましょう。

たとえば、障害児をもつ親がまだ高齢ではないときに遺言書を作る場合は、手軽に作ることができる自筆証書遺言をおすすめします。万が一早逝した場合に備えて作る遺言書という意味合いです。

そのような目的であれば、公証人にお金を払ってまで遺言書を作るのはハードルが高いかと思います。自筆証書遺言であれば、作成するのに費用はかかりませんし、法務局に保管する費用も3,900円と低額ですので、気軽に作成することができます。

そのあと、遺言書の内容を書き換えることになったとしても、自筆証書遺言であれば簡単です。よくあるのは、最初に遺言書を作ったときには不動産を所有していなかったものの、のちに自宅不動産を購入した場合に、遺言書にはその自宅不動産のことが記載されていないというケースです。

不動産は、お金と違って簡単に分けることができませんので、不動産を購入した後には遺言書の内容を書き直すことをおすすめします。書き直した自筆証書遺言の保管料も3,900円です。

月日が経って親亡き後の資金が貯まり、親も高齢者になったときには残す財産の内容も総額もある程度固まって、遺言書を書き直すということはあまりなくなるでしょう。

そのような場合には最後の遺言書として公正証書遺言を作成してもいいかもしれません。

もっとも、若いときに遺言書を作っていて書き慣れている人の場合は、わざわざお金を払ってまで公正証書遺言の作成をする意味はあまりないかもしれません。

財産を残す方法②
信託

信託とは何か

障害のある子どもに財産を残す代表的な方法の中でも、「信託」はいちばんなじみが薄いかと思います。
「遺言」は自分が書いたことや実物を見たことはなくても存在を知っている人は多いはずです。「贈与」と「生命保険」も日常生活で目にふれる機会は少なくないでしょうし、実際に贈与を受けたり保険を契約したりする機会もあるでしょう。

しかし「信託」は、「信託銀行」「投資信託」という言葉を聞いたことがある程度の人が大半なのではないかと思います。そのため信託については、そのしくみからできるだけわかりやすく解説します。

信託とは、シンプルにいうと自分の財産を人に託して、その財産の管理や処分を任せることです。

これだけだと漠然としていてよくわからないと思いますので、障害者の親亡き後の備えとして「信託」を利用するとどのようなことができるかを具体的にお話しします。

メリット①
自由度が高く家庭の状況に合わせられる

「遺言」のところでもふれたように、分割してお金を残すことができるというのが信託の典型的な活用方法です。

金銭管理が不得意な障害をもつわが子に多額のお金を残した場合、「むだづかいをしないだろうか」「悪い人に騙し取られないだろうか」と心配になる親御さんもいるでしょう。信託であれば、一度にたくさんのお金を残すのではなく「毎月○万円」というかたちで分割してお金を残すことができます。

こうした財産の残し方はお金だけでなく、自宅不動産を所有している場合にも応用がききます。
「自分たちが死んだあとは自宅不動産を他人に貸して、その賃料を障害のある子どもの収入に充てたい。ただし、わが子が大家になって自宅不動産を管理するのは難しい」という場合も、信託を使えば自宅不動産の管理はほかの人に任せて、家賃（から管理費用を引いたお金）を障害のある子どもが毎月受け取るということができます。

信託は、自分の財産を残す方法としてかなり自由度が高いので、ほかにも活用方法がたくさんあります。
先に取り上げた、自宅不動産を他人に貸して障害のある子どもが賃料を受け取るという活用方法も、配偶者が生きているあいだは配偶者が賃料を受け取り、配偶者の死後は障害のある子どもが受け取る、ということができます。
さらに、障害のある子どもが一人っ子で配偶者や自身の子どももいない場合、本人が亡くなったらその自宅不動産を相続する人は誰もいません。相続人がいない人の遺産は売却されてそのお金は国のものになってしまいます。
それではもったいないので、兄弟姉妹（以下きょうだい）や配偶者、子どもがいない障害者が亡くなったあとはその自宅不動産を管理してくれていた人のものにしたり、その障害者を亡くなるまで支援してくれた支援者や支援団体に渡したりすることも、信託であれば可能です。

このように信託は、アイディア次第でいろんなことができます。障害者やその家族の状況は十人十色ですから、それぞれの家庭の事情に合わせてカスタマイズできるという柔軟さが信託の魅力です。

信託のしくみ

信託に関するこれまでの説明で「なんかよさそうだな」と興味をもった人も少なくないと思います。

では、信託はどんなしくみのもとに成り立っているのかを説明しましょう。

信託には、3人の人物が登場します 5-5 。財産を所有し、それを託す人を「委託者」といいます。その財産を託される人を「受託者」といいます。そして、その財産から生じる利益を受け取る人を「受益者」といいます。なお、託された財産のことを「信託財産」といいます。

5-5 信託のしくみ

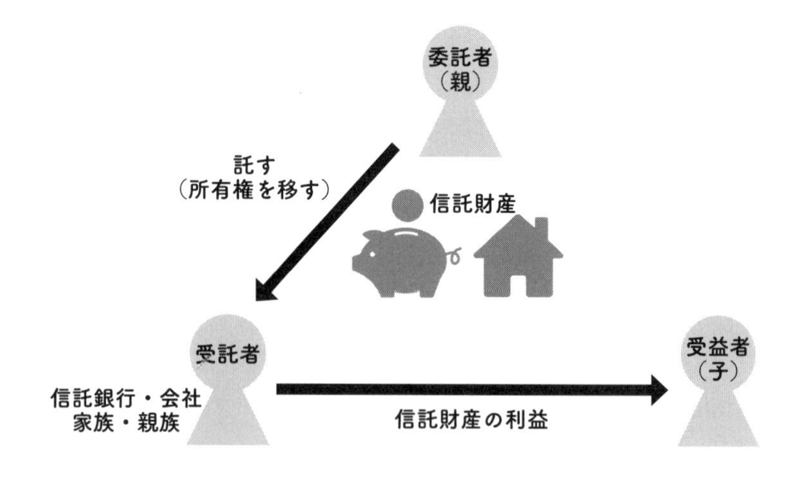

（著者作成）

受託者になれる人は？

受託者は、信託銀行か信託会社、もしくは委託者の家族・親族がなるのが一般的です。

信託銀行や信託会社のように営利目的の企業が受託者になる信託を「商事信託」といいます。商事信託は営利企業が受託者になる（信託業をおこなうためには、内閣総理大臣による免許または登録を受ける必要がある）ので、財産を託す場合には、管理や処分の費用のほかに信託報酬を支払わなければなりません。

委託者の家族・親族が受託者になる信託は「民事信託」とか「家族信託」といいます。民事信託の場合、商事信託とは異なり信託報酬が必須というわけではありません。家族という理由で信託報酬なし（無償）というケースは少なくありません。

ただ、無償でいいかはじっくり検討する必要があります。受益者である障害者に健常者のきょうだいがいる場合、親である委託者は、受託者としてきょうだいをあてにすることがあります。

しかし、受託者が委託者の配偶者（障害者の親）である場合ならまだしも、きょうだいが受託者になる場合は、月1万円程度でも信託報酬を渡したほうがいいです。

受託者は責任をもって信託財産を管理・処分しなければなりませんので、家族の情愛だけで簡単にできるものではないからです。

では、障害福祉サービス事業をおこなっている社会福祉法人やNPO法人などの非営利団体、私のような弁護士などの法律専門家は受託者になれるでしょうか。

先ほどふれたように、受託者の業務を営利事業としておこなうことは、信託業法などの法律によって国から認められた信託会社や信託銀行しかできません。

したがって、弁護士が受託者になって報酬をもらうことはできません。非営利団体であっても、無償で財産管理業務を受けることは一般的に考えにくいため、やはり受託者になることはできません。
ただし今後もなれないかというと、そうとは言い切れません。
過去に信託法が大幅に改正された際、ゆくゆく非営利団体や弁護士も受託者になれるようにしましょう、ということは今後の課題として確認されていました。
ですので信託の利用者の声によって、非営利団体や弁護士が受託者になれるよう信託法が改正される可能性はあります。

私個人としては、非営利団体や弁護士が受託者になれるように法改正をしてほしいと希望しています。
それは、私が弁護士として受託者の仕事をしたいということではなく、わが家の親亡き後の備えとして信託を利用したいと思っても、現時点では信託を利用することが難しい状態だからです。
私は自宅（不動産）を所有していますが、次ページの「信託財産とは何か」のところで説明するように、商事信託では収益不動産でない限り、不動産を信託財産にすることができません。また、私の子どもは一人っ子なので、きょうだいに受託者になってもらうこともできません。これが、わが家が信託を利用できない理由です。

メリット②
受益者（障害のある子）が契約手続きに関与しない

障害者の親亡き後の備えとして信託を利用する場合、「委託者」が障害者の親、「受益者」が障害のある子どもというケースが多いでしょう。このような信託のことを「福祉型信託」と呼ぶこともあります。
受益者は複数いてもかまいませんし、その中で順番をつけることもできます。また、委託者自身が受益者となることもできますし、別の誰かを受益者とすることももちろんできます。
たとえば、委託者が生きているあいだは委託者自身を受益者にする。委託者が亡くなったときに配偶者が生きていれば、その配偶者を2番目の受益者にする。その配偶者が亡くなったあとは障害者を3番目の受益者にする、というふうに指定することもできます。
このようなことは、遺言ではできません。

また、信託は「委託者」「受託者」「受益者」の三者が当事者になりますが、信託の設定自体は「委託者（親）」と「受託者（信託銀行など）」とのあいだの信託契約によって成立します。
つまり、信託の設定には受益者（障害のある子ども）は関与しませんので、手続きが困難でできないという心配がありません。
この点も、障害のある子どもをもつ親や家族にとってはありがたいポイントです。

信託財産とは何か

信託の対象となる財産のことを「信託財産」といいます。
信託財産になり得る財産について特に制限はありません。預貯金も、そのままでは信託財産にはできませんが、預貯金を払い戻すなどして現金にして受託者に渡せば、信託財産にすることができます。
信託は委託者と受託者の契約なので、ある特定の財産について、信託財産としないこともできます。そのため信託銀行や信託会社が受託者の場合、収益不動産（自分の家を他人に貸して、賃料をもらっている場合）は信託財産とすることはできても、自宅不動産（自分たち家族が住んでいて、そこから賃料などの収益は上がっていない場合）については信託財産とすることを拒否されることが少なくありません。
また、お金を信託財産にする場合も少額ではだめで、1,000万円以上などの基準をクリアしないと受託者になってもらえないということもあります。
そして信託の重要な特徴の一つとして、信託が成立すると、信託財産の名義が委託者から受託者に変更されます。具体的には、不動産であれば登記名義が受託者になり、お金であれば受託者が管理することになります。

もっとも、この名義の変更・管理の移行は、受託者の信託財産の管理・処分をスムーズにおこなうための形式的なもので、受託者が信託財産を自由に管理・処分できるというわけではありません。

メリット③
受託者の監督・監視者を契約で設定できる

原則はそうであっても、不動産の名義や金銭の管理者が受託者になる以上、受託者は受益者のためにではなく自分の利益のために信託財産を使ったり、信託の目的から外れることのために信託財産を利用したりすることも現実的には可能です。

信託は成年後見制度とは違って、裁判所が監督することが当然の前提にはなっていません。

基本的には委託者や、信託によって利益を得る受益者自身が、受託者が職務を適切におこなっているかの監督・監視をすることになります。

しかし、受益者が未成年や判断能力に問題のある障害者の場合、委託者が亡くなったあとに受益者として適切な監督・監視をすることは難しいです。

そこで、受託者が適切に受託者としての職務をおこなっているかの監督・監視をする人を、信託契約で設定することができます。それが「信託監督人」と「受益者代理人」です。信託監督人と受益者代理人は法的には違いはありますが、受益者を保護するという役割があることと、信託契約で設定できることは共通しています。

本書では、受益者が判断能力に問題のある障害者であることを前提としています。その受益者を保護するために、信託監督人や受益者代理人をあらかじめ決めておくことができるということは頭に入れておいてください。

深掘りコラム

信託にはさまざまな商品やサービスがあります

このコラムでは信託を利用した商品・サービスについて簡単に紹介します。

ここまでの解説で、「わが家は信託を使えそうだ」と興味をもたれた方は参照ください。

●特定贈与信託

特定贈与信託とは、受益者が障害者、受託者が信託銀行・信託会社に限定されている信託で、信託財産から受益者に定期的なお金が支払われます。

障害をもつ子どもに財産を残す場合も、財産の額によっては相続税・贈与税がかかる場合がありますが、この信託を利用すれば最大で6,000万円までの信託財産については贈与税がかからなくなります。贈与税納税のために財産が目減りしてしまうのを避けることができます。

●生命保険信託

生命保険信託は、死亡保険金を信託財産とする信託です。一部の生命保険会社と信託銀行・信託会社が提携して提供しているサービスです。

のちほど「財産を残す方法④生命保険」のところで説明しますが、障害のある子どもを死亡保険金の受取人にするというかたちで、親の財産を残すことができます。

ただ、その場合、障害をもつ子どもが生命保険金の請求手続きをしなければなりません。生命保険信託を利用すれば、信託銀行・信託会社が生命保険会社に死亡保険金を請求して、信託契約にもとづいて受益者である障害者にお金を支払います。

一般的に死亡保険金は被保険者が亡くなったときに受取人のものになる

というのが決まりです。対して生命保険信託を利用すれば、死亡保険金を使い切る前に障害のある子どもが亡くなった場合の、2番目の受益者を設定したり、残った死亡保険金を寄付に回したりすることもできます。

●遺言代用信託

遺言代用信託はその名のとおり、遺言の代用として利用する信託のことで、次のようなしくみです。

委託者が生きているあいだは委託者自身を受益者として、信託財産からの利益は委託者が得ます。そして委託者が死亡したときに、受益者をほかの人（多くの場合は配偶者や子などの法定相続人）に移るようにすることで、遺言で財産を残すのと同様の結果になります。

遺言代用信託は遺言ではなく信託なので、遺言ではできない信託の利点も活用できます。何度かお話ししたように、遺言の場合はお金を分割して渡すことはできませんが、信託であれば可能です。また、信託財産を使い切る前に受益者が亡くなったら、次の受益者（たとえば障害のある子ども）に権利を移すこともできます。

財産を残す方法③ 贈与

贈与とは何か

贈与は、財産をタダで譲り渡す契約です。

契約ですので、財産を贈与する人と財産をもらう人との間で合意する必要があります。合意自体は口頭でも大丈夫です。

贈与には、財産を贈与する側が生きているうちにする「生前贈与」と、財産を贈与する人が亡くなったときに贈与の効力が発生する「死因贈与」があります。

どちらも契約自体は財産を贈与する人が生きているあいだに結びます。つまり贈与の効果が、財産を贈与する人が生きているあいだに発生するか否かの違いとなります。

贈与のデメリット

デメリット①
障害者自身の署名押印が必須

贈与する財産の金額が多い場合には、贈与契約書を作るのが一般的です。また不動産を贈与する場合には、登記名義を変更するためにも贈与契約書が必要になります。

そのため、署名や印鑑を押すことが難しい重度の障害者の場合は、贈与契約書の作成が難しく、財産をもらう障害者に成年後見人がついていないと、贈与を利用して障害者の親亡き後の備えをすることは難しくなります。この点が贈与のデメリットとなります。

遺言・信託・生命保険には、障害者が署名押印をしないとそもそも成立しないというデメリットはありません。

暦年贈与（生前贈与）

贈与をすると、財産をもらった人に贈与税が課されます。贈与税は1年（その年の1月1日から12月31日）のあいだにもらった財産の額から、110万円を引いた金額（基礎控除）に対して課税されます。つまり1年間にもらった財産の額が110万円以下であれば、贈与税は課されません。

この贈与税の基礎控除を利用しておこなう生前贈与を「暦年贈与」とい

います。

この暦年贈与は、相続税が課されるぐらいの財産がある人にとってはメリットがあります。

1年間で110万円でも、たとえば10年間おこなえば最大で1,100万円について贈与税がかからなくなります。生前に財産が1,100万円分減れば相続税が課せられずに済んだり、課税されるとしてもその課税額を減らせます。

ただし、財産を贈与する人が亡くなる直前の贈与については、相続財産としてカウントされるので、この暦年贈与をする場合は、財産を贈与する人が元気なうちにしておいたほうが安全です。

暦年贈与は現金の手渡しではなく、財産を受け取る側（たとえば障害をもつ子ども）の名義の預貯金口座に、財産をあげる側（たとえば障害児をもつ親）が振り込むことが一般的です。

受け取る側名義の預貯金口座の通帳またはキャッシュカードを贈与する側が預かって、金融機関のATMで預け入れるという方法もあります。

ここで注意しなければならないのが「名義預金」とみなされてしまうことです。

名義預金とは口座の名義人と実際にお金を出した人が違う預金のことで、財産をあげる側が亡くなったあとの相続税の課税において問題となります。

つまり、贈与を受け取る側名義の口座に毎年入金されている110万円以下のお金は、実質的には名義人のお金ではなく亡くなった人のお金であり、遺産の一部であると税務署に認定されるおそれがあるということです。

名義預金であると税務署に認定されると、せっかく贈与税と相続税を節税するためにおこなった暦年贈与がむだになります。

名義預金とみなされないための工夫の一つに「贈与契約書」の作成があるのですが、重度の障害者の場合は先ほどお話ししたように署名押印が難しく、贈与契約書は作れない可能性が高いです。そうすると、暦年贈与が

「名義預金」と認定されてしまうリスクがあります。

では、署名押印ができる障害者に対する暦年贈与であれば問題はないのでしょうか。これには別の問題・リスクがあります。

デメリット②
暦年贈与（生前贈与）の場合、障害者自身の財産が増えてしまう

暦年贈与をするということは要するに、親が亡くなる前に、障害のある子どもの財産が増えるということを意味します。

障害者の収入が障害年金のみなどと少額であったり、親が援助しなければ生活がままならない状態であれば、贈与したお金は生活費として使われていくので、障害者の財産が増えることはありません。

ただし、障害者の収入だけで生活ができる状態で、親亡き後の備えや贈与税の節税のために現時点で使う予定のないお金を暦年贈与すると、障害者の財産が増えることになってしまいます。

当面使う予定のないお金が増えると、障害者が浪費したり、悪い人に騙し取られたりするリスクが増えます。また、障害者の収入だけであれば生活保護を受給することが可能にもかかわらず、資産があると受給できなくなってしまいます。

さらに、成年後見制度を障害者が利用する場合、成年後見人などに支払う報酬が増えてしまいます。成年後見人などの報酬は障害者本人の財産から支払われ、その報酬額は障害者本人のお金などの流動資産の金額によって増えるからです。障害者本人に十分な資産があると、成年後見制度利用支援事業による報酬助成も受けられません。

このように、当面使う予定のないお金が増えることにいいことはあまりありません。

障害者の親亡き後の備えとして暦年贈与の利用を検討する場合には、慎重に検討してください。

デメリット③
死因贈与より遺言のほうが汎用性が高い

死因贈与は「亡くなったら財産を無償で渡す」という契約を生前に交わすことをいいます。一見、遺言で財産を残すことと似ています。

しかし贈与は契約なので、贈与する人と贈与を受ける人との間で合意をする必要があります。他方、遺言は相続人との合意は不要で、遺言を書く人が一方的に決めることができます。

この違いは、財産を残す対象のわが子が、重度の知的障害・精神障害者の場合に顕著にあらわれます。

デメリット①でもお話ししたように、贈与を受ける側の判断能力などに問題があって署名押印ができない場合、成年後見人がついていないと死因贈与契約を結ぶことができません。遺言の場合は、重度の障害者との合意は不要なので、成年後見人がいなくても財産をもらうことができます。

したがって、死因贈与を障害者の親亡き後の備えとして利用する場合は、死因贈与の相手は署名押印ができる障害者か健常者に限られることになります。

これらのことから、死因贈与よりも遺言の方が汎用性が高いことがわかります。

贈与のメリット

負担付き贈与の場合、
障害のある子どもの世話を義務に課せる

生前贈与と死因贈与の説明を踏まえると、障害者の親亡き後の備えとして贈与はあまり役に立たないと思われた方もいるかと思います。確かにこれまでの説明からすると、贈与に特にメリットはありません。

しかし、これから説明する「負担付き贈与」には重要なメリットがあります。

贈与は、見返りや対価なしに財産を与える契約です。ただし、贈与するための条件をつけることはできます。たとえば「これこれの財産を贈与する代わりに、障害のある子どもの世話をすること」という義務を課すことができるのです。

普通の贈与と同様、財産を贈与する側が生きているうちにするのが「負担付き生前贈与」、財産を贈与する人が亡くなったときに贈与の効力が発生するのが「負担付き死因贈与」です。

これまでの贈与の説明では、障害のある子どもに財産を贈与することを前提としていました。しかし贈与する相手を障害のある子どもに限定する必要はありません。たとえばそのきょうだいやそのほかの親族との間で、障害のある子どもの世話をするという義務を課す負担付贈与の契約を結ぶという方法もあります。

もっとも「障害のある子どもの世話をする」というだけでは義務の内容が漠然としているので、法的に無効となったり、無効にならなくても負担付き贈与を受ける側としてどの程度の世話なのかがわからず、断られる可能性があります。

義務・負担の内容は、ある程度は詳しく定める必要があります。例を紹介します。

●例1

不動産やお金を贈与したうえで、その負担として障害がある子どもが生存する間は、贈与した不動産に無償で住まわせること。生活費として月々○万円を渡すこと。障害のある子どもの生活上の相談に応じること。

●例2

自身（贈与する側。障害のある子どもの親）が亡くなったあと、贈与を受ける側が親族であれば、障害のある子どもの成年後見人の候補者として、成年後見制度の利用申し立てをすること。

例2では、成年後見人に選任されることまでは義務の内容にはしていません。成年後見人の選任は家庭裁判所が最終的に決めるため、負担付き贈与を受ける側としてできるのは、候補者として名乗り出ることにとどまるからです。

ちなみに、負担付き贈与と似たものに「負担付き遺贈」というものがあります。

遺贈とは、遺言書にもとづいて相手に財産を無償で与えることです。遺言書による贈与＝遺贈と捉えてください。

負担付き遺贈でも、障害のある子どもの世話を負担として設定することができます。

贈与はすでに説明したように、財産を与える人ともらう人の合意が必要となります。

他方、遺贈は財産を死後に与える人の一方的な意思だけで十分です。そのため、遺贈によって財産をもらう人は、財産を与える人が亡くなった後に遺贈を受けるかどうか判断することができ、受けたくない場合には、放棄することもできます。

そのため、負担の内容によっては負担付き遺贈を受けてもらえないリスクがあります。したがって、負担付き遺贈よりも「負担付き贈与」または「負担付き死因贈与」のほうが安心です。

著者の場合

このように「負担付き死因贈与」と「負担付き遺贈」は、障害者の親亡き後の備えに活用することができます。

私が個人的に負担付き（死因）贈与に注目しているのは、信託と似たようなことを負担付き（死因）贈与で実現できるからです。信託は自由度が高くさまざまなニーズに対応することができます。

私の子どもは、重度の障害があります。そのため私の自宅不動産を残しても、固定資産税の支払いや不動産の補修などのメンテナンスなどをおこなうのは難しいでしょう。また、不動産を所有していると生活保護を受けられなかったり、受けるためには不動産を売却しなければならなかったりします。
「信託」のところでお話ししたように、わが家のように自宅不動産を所有し、かつ一人っ子の重度の障害者がいると、現時点では信託は使い勝手が悪いです。不動産を売却せずに済んだとしても、わが子に配偶者や自身の子どもができない限り、わが子の死後、私が残した不動産は国のものになります。これらのことを考えると、私の自宅不動産をわが子に残すといろいろな問題が残ります。

これらの問題は「負担付き死因贈与」を活用すれば、解決できると考えます。その方法は次のとおりです。
私は、信頼できる法人や団体との間で、私の自宅不動産を負担付き死因贈与する契約を結びます。負担の内容は、私の子どもが亡くなるまで無償でこの不動産に住まわせること。私の子どもが住まなくなった場合にはこの不動産を賃貸に出して、その賃料を私の子どもに渡すこと、とします。
このような負担付き死因贈与契約を結べば、私の死後、私の自宅不動産は、その法人等の所有になります。
ですので、その法人等が固定資産税の支払いなどの不動産の管理をおこないます。また、うちの子どもは、その不動産に住み続けることはできる一方で、不動産の名義はその法人等なので、生活保護を受給する際に行政から「不動産を売却しろ」と言われることはないでしょう。
この活用方法のポイントは、負担付き死因贈与を受けてくれる信頼できる法人や団体を探すことになります。
私の子どもが亡くなったあとは死因贈与の負担はなくなり、この不動産はその法人等が自由に使用・処分できるようになりますので、負担付き死因贈与を受ける法人等にとっても利益・旨みはあります。最終的には不動産を自由に使用処分できるようになるので、不動産を売却して法人等の収益にしてもいいですし、その不動産を障害者グループホームとして利用することもできます。

財産を残す方法④ 生命保険

今回取りあげた5つの方法において、みなさんにとっていちばん耳になじみがあるのが生命保険だと思います。しかしその実、保険はよくわからないという方も少なくないのではないでしょうか。

障害者の生活において保険は重要なしくみですので、生命保険の説明の前に、保険のしくみについて簡単に解説します。

保険のしくみ

保険の登場人物

「保険法」という法律によれば、保険には、次の4人の人物が登場します。

- 保険者……保険契約にもとづいて、保険金を支払う保険会社のこと
- 保険契約者……保険契約にもとづいて、保険料を支払う人のこと
- 被保険者……保険の対象となる人のこと。被保険者が誰かによって保険料が変わるので、保険においては重要となる
- 保険金受取人……保険会社から支払われる保険金を受け取る権利がある人のこと

保険契約の内容によって、保険契約者・被保険者・保険金受取人は同じ人の場合もあれば、それぞれ別の人ということもあります。

障害者の親亡き後の備えとして生命保険を利用する場合、保険契約者・被保険者は親、保険金受取人は障害のある子どもになります。

保険料と保険金の関係

保険のしくみを把握するうえで大事な知識として、保険契約者が支払う「保険料」と、保険会社が支払う「保険金」の関係があります。

保険料と保険金は次のような関係にあります。

保険料 = 保険金 × 保険金が支払われる確率

たとえば、被保険者が死亡したときに保険金が支払われる死亡保険の場合、20代と高齢者の死亡確率（保険金が支払われる確率）を比較すると、高齢者のほうが高くなります。

したがって、支払われる死亡保険金の金額が同じであれば、20代のほうが「保険料」は少なくなります。

また、毎日車を運転している人と週末しか運転をしていない人では、交通事故にあう確率は毎日運転している人のほうが高いので、「保険料」が高くなります。

保険料と保険金の関係で、特に重要なのは、保険金は保険料が原資（資金源）になっていることです。つまり保険金は、集めた保険料の中から支払われるということです。

保険の種類

保険というと、種類が豊富でよくわからないという人が少なくないと思います。

私も「保険法」という法律を勉強するまでは、保険って難しいと思っていました。
反対に、なぜ「保険法」を学んだことで理解できるようになったかといいますと、「保険法」では保険を大きく3つに分けていて、世の中にある保険のほとんどはこの3タイプのどれかに当てはまるからです。
ですので、この3つのタイプについて基礎的なことを理解しておくと、保険は意外にシンプルだということがわかり、とっつきやすくなると思います。

保険法では、次の3つに分けられます。

・生命保険
・損害保険
・傷害疾病定額保険

これから、この3つの保険について、簡単に説明します。

生命保険とは何か

生命保険とは、被保険者（保険の対象者）の死亡または生存に関して、一定額の保険金が支払われる保険のことです。
ここで注目したいのは「生存に関して」という部分です。生命保険は、死亡した場合に死亡保険金が支払われる保険だけではありません。保険契約を結んでから一定期間が経過後に生きている場合に支払われる保険も、生命保険に含まれます。生存に関する生命保険の代表例として、学資保険や個人年金保険があります。
学資保険は、子どもが18歳になったときに一定額の保険金が支払われるものです。
個人年金保険は、被保険者（保険の対象者）が65歳などになったときに、一定額の保険金が支払われるものです。

もっとも、障害者の親亡き後の備えとして利用する生命保険は、死亡保険金が支払われるタイプのものです。生存に関する生命保険の場合、保険金の受取人は障害者の親ですので、障害者の親の資産形成として活用することはあっても、障害者の親亡き後に財産を残すという方法には適しません。

損害保険とは何か

偶然の事故によって生じることのある損害を穴埋めする保険のことです。損害保険の代表例は自動車保険や火災保険です。

損害保険のポイントは、交通事故や火災などによって被保険者（保険の対象者）が受けた損害だけではなく、被保険者が他人に与えた損害も損害保険の対象だということです。ただし損害保険は、偶然の事故による損害のみが保険の対象と限定されています。ですから、保険契約者や被保険者がわざと起こした損害（当たり屋行為や偽装事故）や、故意（故意と同等のミスを含む）によって生じた損害については、保険金は支払われません。

損害保険の保険金は、ほかの2つの保険とは違って一定額ではなく実際の損害額になります。

もっとも、多くの損害保険は補償の上限額を設定していますので、支払われる保険金はその範囲内になります。

損害保険は、障害者の親亡き後に財産を残す方法としては使えませんが、障害の有無にかかわらず万が一のために加入しておくべき保険です。そのため親亡き後に、障害のある子どもが損害保険の被保険者になれるように準備しておく必要があります。

傷害疾病定額保険とは何か

傷害疾病定額保険はいちばん聞きなれない言葉かと思いますが、そんなに難しいものではありません。被保険者がケガをしたり病気になったりした場合に、一定額の保険金が支払われる保険です。たとえば医療保険やガン保険、所得保障保険などです。ケガや病気に特化した生命保険の一種ともいえます。
傷害疾病定額保険も、障害者の親亡き後に財産を残す方法としては使えません。また、損害保険のように、障害者にとって必ずしも加入したほうがいい保険であるともいえません。

以上が、保険についての基本的な知識です。これらの知識を理解しておくと、保険に対する苦手意識は薄らぐと思います。

生命保険のメリットとデメリット

それでは、生命保険（特に死亡保険金）を利用して親亡き後の備えをする場合のメリットとデメリットについて詳しく解説していきましょう。まずはメリットからです。

メリット①
死亡保険金は「遺産」に含まれない

死亡保険金の受取人を特定の人に指定している場合、死亡保険金はその受取人固有の財産となります。生命保険料を支払っていたのが亡くなった人だったとしても、本人の財産とはみなされません。つまり「遺産」にはカウントされないということです。これが生命保険のメリットの1つ目です。
たとえば、障害のある子どもを死亡保険金の受取人に指定した場合、その死亡保険金はすべて障害のある子どものものとなります。障害のある子どもに確実にお金を残したい場合には有効な方法です。
もっとも遺言を利用しても、障害のある子どもに確実にお金を残すことができます。ですからこの1つ目のメリットは、生命保険独自のものとはいえません。

メリット②
死亡保険金は分割で受け取れる

生命保険の商品の中には、死亡保険金を一括ではなく分割して受け取れるものがあります。この利点は遺言にはありませんので、遺言にはない生命保険のメリットといえます。

これまでも取りあげてきたように、障害のある子どもにお金を残す場合にはむだづかいなどの心配があります。死亡保険金を分割して受け取ることができれば、ある程度は解消されます。

ただし、すべての生命保険で、死亡保険金を分割で受け取ることができるわけではありません。生命保険を契約する場合には、死亡保険金の受け取り方法について確認してください。

デメリット
障害者自身が手続きをおこなわなければならない

次に、生命保険を利用するデメリットについてです。

死亡保険金を受け取る手続きは、死亡保険金の受取人に指定された人がおこなうのが原則です。どんな手続きが必要なのか具体的に書きますと、

被保険者（障害者の親）の死亡届・死亡証明書・被保険者の戸籍謄本などを用意して
　↓
生命保険会社の所定の用紙を使って
　↓
死亡保険金の請求書を生命保険会社に対して提出する

という流れになります。

一連の手続きを障害のある子どもができる場合や、サポートさえあればできる場合には問題ありません。しかしサポートがあってもできないよう

な、重度の知的障害や精神障害の場合には死亡保険金を受け取ることができなくなってしまいます。

このような事態を避けるためには、次の2つの解決法があります。

・成年後見人による請求
・生命保険信託

重度の障害のある子どもに成年後見人をつける予定であれば、生命保険に大きなデメリットはないです。

成年後見人をつける予定がない場合には、生命保険信託の利用を検討してください。ただし生命保険信託を利用する場合は信託銀行や信託会社に信託報酬を支払うので、財産を死亡保険金の額面どおりにわが子に残せるわけではありません。

では、もっといい方法はないのでしょうか。そこで、民間の生命保険を検討する前に知っておいていただきたいのが、これまでにも少しだけ紹介した「障害者扶養共済」です。

財産を残す方法⑤ 障害者扶養共済

障害者扶養共済とは何か

障害者扶養共済制度(「しょうがい共済」と呼ばれることもある。この本では、「障害者扶養共済」とする)とは、親亡き後のお金の心配を軽減させる制度です。

具体的には次のとおりです。

・障害のある子をもつ親などの保護者が加入者となる
・毎月掛金（1口9,300円～2万3,300円で、最大2口まで）を支払う。この金額は年齢によって変わります。詳しくは171ページの5-10の表をご覧ください。
・保護者が死亡または重度の障害になった場合、障害のある子どもが亡くなるまでの間、毎月2万円（2口の場合は4万円）の年金がもらえる

障害者扶養共済の加入要件

加入資格には受取人となる障害のある子どもについての要件と、加入者となる親・保護者についての要件があります。

●障害のある子どもの要件

(1) 知的障害の人
(2) 身体障害者手帳1級から3級を持っている人
(3) 統合失調症、脳性麻痺、進行性筋萎縮症、自閉症、血友病などの病気の方で、上の (1) と (2) と同程度の障害がある人
(4) (1) から (3) のいずれかに該当し、将来自立した生活が難しいと認められる人

●親などの保護者の要件

(1) 65歳未満の人
(2) 特別な障害や病気がなくて、生命保険に加入できる健康状態の人
(3) 受取人となる障害児者を現に扶養している人

加入者となる保護者（父母・配偶者・祖父母・きょうだいなど）はこの3つの要件のすべてをクリアする必要があります。

障害をもつ子・保護者の両方の要件を満たすと障害者扶養共済に加入することができます。

障害者扶養共済は、全国の都道府県・政令指定都市の条例で定められている公的な生命保険です。ですから、日本全国どこにいても加入することができます。

障害者扶養共済には、民間の生命保険にはない独自のメリットが多くあります。一方、デメリットもないわけではありません。メリットとデメリットを順を追って紹介しながら、障害者扶養共済のしくみを説明していきましょう。

障害者扶養共済のメリット

障害者扶養共済の7つのメリットは、次のとおりです。

・公的な制度であること
・掛金が安いこと
・生活保護の収入にはあたらないこと
・掛金全額が所得控除の対象になること
・親が早く亡くなった場合の備えになること
・非課税であること
・障害者本人以外の人に、年金の受け取り手続きを任せられること

それでは、一つ一つ詳しく見ていきましょう。

メリット①
公的制度で安心

先ほど説明したように、障害者扶養共済は都道府県・政令指定都市が条例によって実施している制度です。そのため民間の生命保険のように、保険会社の都合で共済自体がなくなってしまうことはなく、安心であるとい

えます。

また、下記のメリット②「掛金が安い」というところとも関係しますが、公的な制度であるため、加入者の収入によっては掛金が免除・減額されます。

たとえば、障害者扶養共済の加入者が生活保護の受給中は、掛金が全額免除されてゼロになります。生活保護を受給するほどではないけれど、住民税が非課税になるぐらい収入が少ない場合には掛金が減額されます（減額される割合は地方自治体によって異なる）。

障害者扶養共済は、原則として掛金を20年間も払い続ける必要があります。そのあいだに収入が減ることがないとはいえません。そのため、加入者の収入によって減額免除されるのはありがたいです。これは民間の生命保険の場合にはないメリットの1つ目です。

メリット②
掛金が安い

民間の生命保険の場合、保険料は次の2つによって構成されています。

- 純保険料……保険金の原資となる保険料のこと
- 付加保険料……生命保険の販売・管理にかかる人件費や宣伝費などのこと

障害者扶養共済の掛金には「付加保険料」が含まれていないため、民間の保険料よりも安いといわれています。「いわれています」というのは、民間の生命保険で障害者扶養共済と同内容のものがほとんどなく、保険料を比較することはできません。そのため、加入者としては安いと実感できることはないだろう、ということです。私自身、この障害者扶養共済に加入していますが「安い」と思ったことはありません。

メリット③
生活保護支給のうえで「収入」としてみなされない

ここで紹介する話は、ステップ1の「生活保護を受けるときの注意点①」と同じ内容になりますが、個人的には、このメリットがいちばん重要と考えていますので、あらためて図を挙げて説明しましょう。

ステップ1で解説したように、159ページの 5-6 のとおり生活保護の支給額は、国が決めた「最低生活費」から受給者の「収入」を引いた金額となります。

たとえば、賃貸住宅に住んでいる単身障害者であれば、最低生活費は12～15万円となります。受給者である障害者の収入（障害基礎年金・工賃・家族からの仕送りなど）が10万だとすると、生活保護費として支給されるのは、月額2～5万円となります。

つまり生活保護というのは、受給者の収入が増えると支給金額が減っていき、最低生活費の金額を収入が超えると支給がストップするというしくみだということです。

しかし障害者扶養共済から月額で支給される年金は、最低生活費から引かれる「収入」にはあたりません。収入にあたらないということは、159ページの 5-7 のようになるということです。

障害者扶養共済の月々の年金（2万円または4万円）がもらえても、それによって生活保護費の支給額に変動はありません。つまり同じく生活保護を受給している障害者であっても次のような違いがあるということです。

●障害者扶養共済の年金をもらっている場合

月々使えるお金＝収入＋生活保護費＋障害者扶養共済の年金

●障害者扶養共済の年金をもらっていない場合

月々使えるお金＝収入＋生活保護費

障害のある子どもが自身の収入や親の残したお金だけでは生活ができ

5-6 障害者扶養共済を利用しない場合の、月々使えるお金

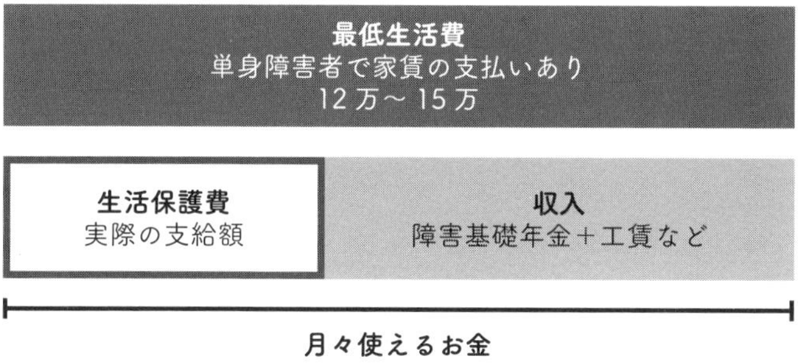

（著者作成）

5-7 障害者扶養共済を利用し、年金を受け取っている場合の月々使えるお金

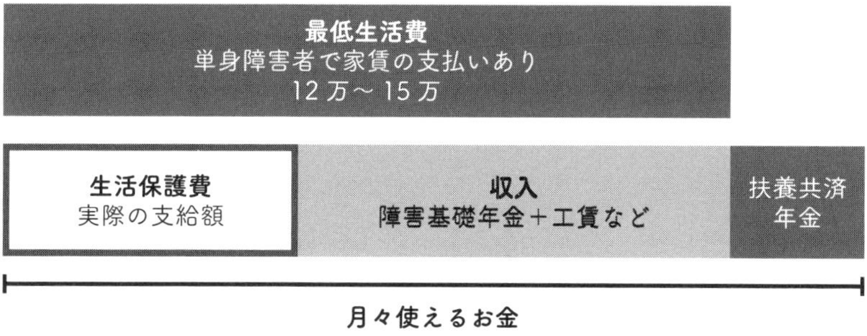

（著者作成）

ず、生活保護を受給することになってしまったとしても、親が障害者扶養共済に加入していれば、わが子は亡くなるまで2～4万円分だけ余裕のある生活が送れるということになります。

メリット④
掛金全額の所得控除

ステップ4の99ページ「その他の控除とは何か」のところで詳しく説明しましたが、障害者扶養共済の掛金は全額が所得控除の対象となります。税金がかかる所得「課税所得」の金額を減らせることになりますから、結果として所得税や住民税の金額が減ります。所得税や住民税を支払っているご家庭であれば、障害者扶養共済の掛金は額面よりも実際には少なくなると考えていいでしょう。

お金を預貯金で残しても、所得税や住民税は減りません。また、民間の生命保険の保険料は所得控除されますが、その対象は一部で節税効果は少ないです。

また障害者扶養共済への加入で、特別児童扶養手当の所得制限を回避できる場合もあります。このあたりの詳細な説明はステップ4の「所得控除とは何か」を読んでください。

メリット⑤
親が早く亡くなった場合に備えられる

一家の大黒柱が長生きすれば、親亡き後に備えてお金を多く貯めることができます。また親が長生きすれば、親亡き後から障害のある子どもが生涯を終えるまでの期間は短くなります。

しかし、病気や事故などでまだまだ働き盛りのときに親が亡くなることがないわけではありません。万が一親に何かあったときに、障害者扶養共済に加入していれば毎月2万円ないし4万円のお金を残すことができます。

万が一のリスクへの対策としても障害者扶養共済はメリットがあります。

メリット⑥
もらえる年金は非課税

収入の少ない障害者にとってはあまり意味がないかもしれませんが、障害者扶養共済から月々もらえる年金は非課税です。そのため、障害者扶養共済の年金をもらえるようになっても所得税や住民税が増えるということはありません。

メリット⑦
「年金管理者」の指定ができる

生命保険のデメリットの一つに、保険金の請求を受取人自身がおこなわなければならないことがありました。このことは障害者扶養共済も同じです。ただし、年金管理者を指定することでこのデメリットを回避することができます。
「年金管理者」とは、年金の受取人である障害者の代わりに年金の受け取り手続きをおこなう人のことです。民間の生命保険にはないメリットといえます。

以上が障害者扶養共済の7つのメリットです。障害のある子どもはもちろん、加入者である親・保護者にとっても多くのメリットがあるので、ありがたいと思います。
多くのメリットのある障害者扶養共済ですが、もちろんデメリットもあります。ここからはデメリットの紹介です。

障害者扶養共済のデメリット

デメリット①
実質的に掛け捨ての生命保険

障害者扶養共済は途中で解約した場合、それまでに支払った掛金のうちほんのわずかしか戻ってきません。つまり、実質的に掛け捨ての生命保険にあたります。加入を検討している方はこの点を理解したうえで、納得してから加入の申し込みをしてください。

どんな場合に解約となってしまうかというと、1つ目は掛金の支払いができなくなってしまうケースです。もう一つは加入者（親や保護者）が亡くなる前に、受取人（障害のある子ども）が亡くなってしまうケースです。実質的に掛け捨ての生命保険ということは、このどちらのケースであっても解約返戻金はもらえないということです。ただし「脱退一時金」や「弔慰金」として戻ってくることがあります。ここではこの2つについて紹介します。

●脱退一時金

掛金の支払いが困難になって障害者扶養共済を解約すると、脱退一時金が支払われます。脱退一時金の金額は、障害者扶養共済に加入していた年数によって 5-8 のとおり3段階あります。

掛金に対してどのくらいの割合が戻ってくることになるでしょうか。仮

5-8 障害者扶養共済　脱退一時金額の一覧（2022年4月1日現在）

加入期間	脱退一時金額
5年以上10年未満	7万5,000円
10年以上20年未満	12万5,000円
20年以上	25万円

（福祉医療機構ホームページ「心身障害者扶養保険事業」）

に、掛金（月額）が1万5,000円だとして、5年後に解約する場合と20年後に解約する場合の脱退一時金を計算してみましょう。

・5年間の掛金の総額……1万5,000（円）×12（か月）×5（年間）＝90万円
→掛金に占める脱退一時金額の割合……7万5,000（円）÷90万（円）＝約8%
つまり、92%は戻らないことになります。

・20年間の掛金の総額……1万5,000（円）×12（か月）×20（年間）＝360万円
→掛金に占める脱退一時金額の割合……25万0,000（円）÷360万（円）＝約7%
つまり、93%は戻らないことになります。

このように障害者扶養共済に一度加入すると、脱退することは損なので、少なくとも最低期間の20年間は掛金を支払い続けなければなりません。

●弔慰金

加入者である親や保護者より先に障害児者が亡くなった場合も、支払った掛金の多くは戻りません。弔慰金としてわずかばかり戻ってくるだけです。弔慰金の金額も障害者扶養共済に加入していた年数によって5-9のとおり3段階あります。

加入一年以上で支払いがあるという点では、脱退一時金よりマシですが、さほど違いはありません。

民間の貯蓄型の生命保険であれば途中で解約した場合、元本割れ（もともと掛けた金額を下回ってしまうこと）があるにしても、障害者扶養共済よりは多くの支払済みの保険料が戻ってきます。そのため、何らかの理由で

5-9 障害者扶養共済　弔慰金額の一覧（2022年4月1日現在）

加入期間	弔慰金額
1年以上5年未満	5万円
5年以上20年未満	12万5,000円
20年以上	25万円

（福祉医療機構ホームページ「心身障害者扶養保険事業」）

加入者の収入が減ったときに、生命保険を解約して減った収入を補うこともできます。障害者扶養共済の場合、解約すれば掛金分の支出は減りますが、上記のようにわずかな金額しか返ってきませんから、収入の減少を補うことはとてもできません。

では、どうすれば20年間確実に掛金を支払い続けることができるでしょうか。私がおすすめするのは、特別児童扶養手当から掛金を支払うという方法です。ここであらためて、掛金と扶養手当の金額を比較してみましょう。

●特別児童扶養手当の支給額

・重度（1級）5万3,700円
・中度（2級）3万5,760円
※毎年微増減あり。上記は2023年4月時点

●障害者扶養共済の掛金

・1口9,300円～2万3,300円で、最大2口まで

ここでは参考値として、現在の私の年齢（49歳）で障害者扶養共済に加入した場合の月額で計算してみます。加入者が45歳以上50歳未満の掛金月額は1万7,300円です（加入時の年齢によって掛金がいくらになるかは、

171ページ 5-10 参照）。

比べてみると、特別児童扶養手当の支給額が2級の場合であっても、障害者扶養共済を2口掛けた場合（1万7,300円×2口＝3万4,600円）より多いことがわかります。

たとえば3歳ぐらいに知的障害などの診断が出たとすれば、3歳から20歳までの17年間にわたり特別児童扶養手当をもらえます。こうしたケースであれば、障害者扶養共済の掛金の多くを特別児童扶養手当でまかなうことができます。

仮に途中で解約したり、障害のある子どもが加入者より先に亡くなったりしても、掛金の大部分を加入者が汗水流して稼いだお金ではなく、公的な手当でまかなったのであれば、損をしたという意識が薄くなるのではないかと思います。

デメリット②
掛金総額 ＞年金総額となるリスク

デメリットの2つ目は、加入者が長生きしたり障害のある子どもが早くに亡くなったりして、受取期間が短くなった場合に、掛金総額より年金総額が少なくなるリスクがあるということです。

障害者扶養共済の掛金（1口あたり）は、55歳以上で加入すると月額2万700円以上となるので、年金月額の2万円を超えることになります。つまり、55歳以上で加入した場合は親亡き後の期間が20年を超えないと、掛金総額＞年金総額になる可能性が十分あります。ただこのデメリットは、1つ目のデメリットよりは不利益の程度は低いと思います。

障害者扶養共済は、障害者の親亡き後の収入を補うという目的の制度です。たとえ親亡き後の期間が短かったとしても、親が亡くなった後に障害のある子どもが亡くなるまで、月額2万円または4万円のお金を残すことができたのですから、加入した目的は達成されているといっていいでしょう。

仮に「掛金総額>年金総額」であることが明確になった時点で加入者である親と、受取人である障害のある子どもは亡くなっていますから、損したことを知る余地はありません。知ることができるのは、健常者の子（障害のある子のきょうだい）やその関係者ぐらいです。

デメリット③
掛金の引き上げのリスク

障害者扶養共済は公的な制度ですので民間の保険商品とは異なり、内容を変更するのは簡単ではありません。しかし、障害者扶養共済は、以下のように何度か改正がおこなわれました。

・第1次改正……1979（昭和54）年10月
・第2次改正……1986（昭和61）年4月
・第3次改正……1996（平成8）年1月→掛金（保険料）額の改定あり
・第4次改正……2008（平成20）年4月→掛金（保険料）額の改定あり

現在の掛金額は、2008年に改訂された金額です。金額の改定があるたびに掛金は引き上げられていて、その引き上げ幅は第3次改正で旧保険料（掛金）に対して2～2.5倍、第4次改正では1.8～2.7倍となっています。

もっとも、これは新規加入者の掛金のことで、既存加入者の掛金の引き上げ幅は新規加入者よりも低く抑えられています。詳しくは「加入時の年齢別・障害者扶養共済の掛金一覧」（巻末資料5-1　320ページ）をご覧ください。

障害者扶養共済は、今まで約10年間隔で制度が改正されてきました。2008年以降の改正はまだおこなわれていないため、数年中に改正されて、掛金額がまた引き上げられるかもしれません。

デメリット①のところでお話ししたように、障害者扶養共済は実質的には掛け捨ての生命保険ですので、加入途中で掛金額が引き上げられても損失が生じるため、おいそれと解約・脱退をすることはできません。

掛金額が引き上げられるおもな理由は、障害者に支払われる年金全体を、加入者が支払う掛金全体で支払えなくなるおそれが生じているからでしょう。

先ほど、生命保険のしくみのところで、保険料と保険金の関係を示しました。それを障害者扶養共済において当てはめると次のようになります。

掛金額＝年金 × 年金が支払われる確率

医療などの発達により、障害者の平均寿命がのびると、必要な年金額総額が増えることになります。

一方で加入者である親や保護者が死亡する確率が変わらないとなると、掛金額を増やさなければなりません。また、年金総額や確率に変わりがないとしても、加入者が減ることで、掛金総額全体が減ることになるので、掛金額を増やさないと、年金を支払えなくなります。

逆に加入者が増えて、年金を支払う原資が十分に確保できるのであれば、掛金額を増やす必要はないのです。しかし、障害者扶養共済は障害者の親のほとんどが知っている制度ではありません。そのおもな理由は、厚生労働省や独立行政法人福祉医療機構、市町村が十分なPRをしていないからでしょう。

民間の生命保険は、付加保険料（詳細は157ページ）を取り、これにもとづいて、広告を出したり、生命保険の勧誘に人員を割いたりできます。他方、障害者扶養共済は付加保険料を取っていないため、広告を出すなどのPRはおこなえず、障害者手帳の取得・更新時に役所で配布される障害福祉のガイドブックに、ほかの障害福祉制度と一緒に紹介される程度にすぎません。

以上が障害者扶養共済の解説でした。7つのメリットと3つのデメリットを理解したうえで加入を検討したいという方は、171ページのコラム「障害者扶養共済の加入は掛金の総額が安くなるタイミングをねらいましょう」をぜひお読みください。

著者の場合

ここでステップ3の最後にさわりだけお話ししていた、障害者扶養共済の年金が「親亡き後のために残す資金」の助けになってくれるということについて、著者の場合を例に詳しく解説しましょう。

著者の場合の「親亡き後のために残す資金」は以下のとおりでした（丸数字はそれぞれステップ3で計算した、①障害をもつ子の収入予測　②障害をもつ子の支出予測　③親亡き後の年数）。

▼障害基礎年金1級の収入で、最低生活費で暮らす場合
（②10万3,000－①8万7,000）×12×③20＝384万円
↑①の内訳は障害基礎年金1級の支給額82,000円＋在宅重度障害者手当5,000円
▼障害基礎年金1級の収入で、全国平均で暮らす場合
（②12万9,000－①8万7,000）×12×③20＝1,008万円

単身者の全国平均（健常者含む）レベルの生活をしようとすると、1,000万円以上の大金を用意しなければならないという結果になってしまいました。

では上の収入に「障害者扶養共済」の年金が加わると、用意しなければならない資金はどれだけ減るでしょうか。わが家の場合は、私が亡くなったあとからうちの子どもが亡くなるまでのあいだ、毎月4万円が支給されることになっています。

▼障害基礎年金1級＋障害者扶養共済の収入で、全国平均で暮らす場合
［②12万9,000－（①8万7,000＋4万）］×12×③20＝48万円

用意しなければならない金額が一気に2ケタも下がりました。

ただ、この計算はわが子が将来「障害基礎年金の等級を1級と診断してもらえて、毎月確実に8万7,000円を受け取れる」ことを前提にしてしまっています。

ステップ3で詳しく紹介したように、基本的には「障害基礎年金の等級≒特別児童扶養手当の等級」と考えてかまいません。

しかし、実際に何級と診断されるかはそのときになってみないとわかりません。特別児童扶養手当が1級であっても、障害基礎年金を2級と診断されてしまう可能性はゼロではないということです。

ですので、2級と診断された場合の計算もしてみます。上で8万7,000円としていた部分が7万1,000円（障害基礎年金2級6万6,000円＋在宅重度障害者手当5,000円）に変わり、計算は次のようになります。

▼障害基礎年金2級＋障害者扶養共済の収入で、全国平均で暮らす場合
［②12万9,000－（①7万1,000＋4万）］×12×③20＝432万円

あらためて、わが家のケースであれば親亡き後に必要な資金として、432万円を用意しておけばまず安心できるということになります。

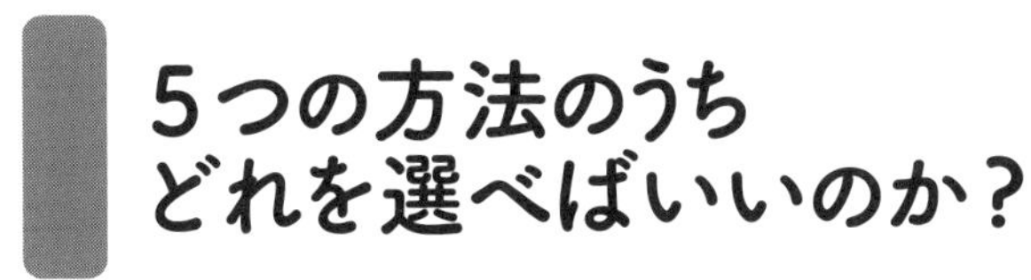

5つの方法のうち どれを選べばいいのか？

ここまで5つの方法を解説してきましたが、「よし、わが家はこうしよ

うかな」とある程度の見とおしがついた方もいれば、「どれを選べばいいのか迷ってしまう」「結局、どうすればいいかよくわからないな」という方もいるかと思います。

この章の最後に、後者の方に向けて、何から検討していけばよいかのガイドをお伝えしておこうと思います。多くの障害者の親にとって大きく外れない検討の流れだと思いますのでぜひ参考にしてください。

5つの方法のうち、最初に検討すべきは「障害者扶養共済に加入するか」です。

親の年齢が20代から40代であれば、加入する意味は十分あるかと思います。50代から65歳未満の親の場合は掛金が増えるので、加入については慎重な検討が必要です。

障害者扶養共済に加入するかどうかが決まった後は、とりあえず遺言書は作っておいたほうがいいというのが私の考えです。

遺言書は信託や負担付き（死因）贈与より作成のハードルは低いといえます。また、財産の残し方はのちのち変更することはあっても、先に詳しく解説したとおり、遺言を作るうえで大きく意味を成してくるのは遺言執行者の指定です。

配偶者や健常者のきょうだいに指定しておけば、万が一ご自身が早逝したときに、残された家族の負担を大きく減らすことになります。

そして、遺言書の内容を考える中で「こういう財産の残し方は、遺言書だけでは実現できないな」ということが出てきたら、信託・負担付き死因贈与・生命保険信託などで、それが実現できるかどうかを検討しましょう。

ちなみに、私は障害者扶養共済には2口加入しています。そしてとりあえずの自筆証書遺言を作成して、最寄りの法務局に保管しています。

深掘りコラム

障害者扶養共済の加入は掛金の総額が、安くなるタイミングをねらいましょう

このコラムでは、ここまでの解説で障害者扶養共済に興味をもち検討したいという方に向けて、加入する際の注意点を詳しくお伝えします。

●毎月の掛金は年齢によって上がる

障害者扶養共済に加入したら、毎月掛金を支払うことになります。掛金は5-10のように、保護者の年齢が上がるほど掛金が高くなります。加入者の年齢が上がるということは、年金を受け取るために必要な最低期間である20年間分の掛金を払い終わる前に加入者が亡くなる確率が上がるということです。

加入者が亡くなる確率＝年金が支払われる確率ということなので、年齢に比例して掛金の金額が上がるのは、保険料と保険金の関係からすると当

5-10 障害者扶養共済の掛金一覧

保護者の年齢	掛け金（月額、１口あたり）
35歳未満	9,300円
35歳以上40歳未満	1万1,400円
40歳以上45歳未満	1万4,300円
45歳以上50歳未満	1万7,300円
50歳以上55歳未満	1万8,800円
55歳以上60歳未満	2万700円
60歳以上65歳未満	2万3,300円

※保護者の年齢は加入年度の4月1日時点の年齢

（福祉医療機構ホームページ「心身障害者扶養保険事業」）

然です。

●加入時の年齢によってお得になるタイミングがある

しかし障害者扶養共済制度の掛金は、親などの保護者が亡くなるまで払い続けなければいけないわけではなりません。掛金は次の条件が2つとも満たされれば免除（これ以上掛金を払わなくて済むように）できます。

免除の条件①掛金を20年間以上支払っていること
免除の条件②加入者が65歳以上をむかえていること

単純に「若いうちに加入するほど掛金の総額が安く済む」というわけでもないのです。シミュレーションしてみたほうがわかりやすいでしょうから、実際にやってみましょう。

加入した年齢別に、免除が可能となる時期までそれぞれ掛金を払い続けた場合に、支払った総額はいくらになるのかを計算してみます。

○親が30歳で加入

・免除の条件→条件①（20年間の支払い）を終えてもまだ50歳なので、条件②（65歳以上）を満たせていません。65歳をむかえるのは35年後です。
・掛金の総額→9,300円×12か月×35年=390万6,000円

○親が44歳で加入

・免除の条件→上記と同様で、免除されるのは65歳をむかえる21年後。
・掛金の総額→1万4,300円×12か月×21年=360万3,600円

○親が64歳で加入

・免除の条件→条件②は1年で満たせますが、条件①を満たすためには20年間掛金を支払わなければなりません。
・掛金の総額→2万3,300円×12か月×20年＝559万2,000円

このように、何歳のときに加入するかで掛金の総額が変わります。「若いうちに加入するほど掛金の総額が安く済む」わけでもありませんし、「65歳ギリギリになって加入したほうが安く済む」わけでもありません。

したがって、総額がもっとも安くなる年齢は何歳なのかを加入の前に検討したほうがよいでしょう。「障害者扶養共済に加入するおすすめの年齢」（巻末資料5-2　321ページ）にグラフがあります。これを見ると、34歳に加入すれば一番おトクということがわかります。2番目は39歳で、3番目が33歳、4番目が44歳です。

少し待つことで掛金の総額が安くなることもありますので、「今すぐ加入したい！」とあせらず、ご自身の年齢を踏まえて、何歳に加入すればいちばん掛金を節約できるかを検討してください。

●おトクな年齢をねらうなら早めの加入手続きを

ただ、先ほどおトクな年齢として挙げた「34歳・39歳・44歳」のタイミングで加入したいという方の場合は、加入の申し込みは早めにしましょう。

というのも、1年後の35歳・40歳・45歳で加入した扱いになってしまうと、今の年齢で加入したときよりも50万円以上掛金総額が増えてしまうからです。2口入る場合は100万円以上増額することになります。

障害者扶養共済の加入の手続きは数か月はかかります。手続きに時間を取られているうちに時間がすぎてしまい、加入時の年齢がプラス1歳されてしまった、ということのないように余裕をもっておきましょう。

ちなみにここでいう「年齢」とは、申し込みした年度（4月1日から翌年3月31日まで）の4月1日時点の年齢です。ですので、34歳・39歳・44歳になった次の4月1日から加入の準備を始めて、余裕をもって7月ぐらいまでには加入申し込みをすると安全です。

たとえば、2023年12月31日に35歳になる人が、2024年1月1日以降に加入手続きをしても、加入日が3月31日までの日付になれば、34歳で加入したことになります。

他方、私は11月に45歳になって、年明けに加入申し込みをしたのですが、加入日は4月1日以降にずれ込んでしまいました。加入日が3月31日までであれば44歳の扱いで加入できたのですが、45歳で加入することになってしまいました。

障害者扶養共済の加入申込書は、お住まいの地域の市町村の障害福祉の担当部署でもらうことができます。

ステップ6

親亡き後の財産をどう管理するか

ステップ1から5まで、障害者の親亡き後の備えとして「いくらお金が必要なのか」「お金を貯める方法には何があるのか」「貯めたお金をどう残すか」を順番に解説してきました。ステップ6では「貯めたお金をどう管理するか」の話に入ります。

知的障害者や精神障害者の場合はお金や財産の管理ができない人も少なくありません。そのため、親が残した財産をどのように管理するかというのは検討すべき大切な課題です。

お金や財産を管理する方法はいろいろあり、たとえばグループホームや障害者支援施設に金銭管理をお願いすることもおこなわれています。ただ、本書では公的な制度として、社会福祉協議会がおこなっている「日常生活自立支援事業」と、ステップ2で話に挙がった「成年後見制度」の2つを紹介します。

財産管理のサポート①
日常生活自立支援事業

日常生活自立支援事業とは何か

厚生労働省のホームページ「日常生活自立支援事業」によれば、日常生活自立支援事業とは、認知症高齢者・知的障害者・精神障害者等のうち、判断能力が不十分な方が地域において自立した生活が送れるよう、利用者との契約にもとづき、福祉サービスの利用援助等などをおこなうものです。福祉サービス利用援助事業ともいいます。

●サービス内容

・福祉サービスの利用援助
・苦情解決制度の利用援助
・住宅改造、居住家屋の貸借、日常生活上の消費契約及び住民票の届出等の行政手続に関する援助等

これらにともなう援助として、以下のものがあります。

・預金の払い戻し、預金の解約、預金の預け入れの手続等利用者の日常生活費の管理（日常的金銭管理）
・定期的な訪問による生活変化の察知

（厚生労働省「日常生活自立支援事業」）

サービスの内容をさらに詳しく見ていくと次のとおりです。

・どんな福祉サービスが使えるのか、使うときの手続きなどのアドバイス

・役所へ出す書類の書き方のアドバイス
・家賃や水道光熱費などの支払い方法のアドバイス
・収入の範囲内で生活できるようなお金の使い方や管理のアドバイス
・銀行の通帳などの保管サービス

（全国社会福祉協議会「日常生活自立支援事業」パンフレット）

ただ注意点は、この日常生活自立支援事業はあくまでも「援助してくれるだけ」ということです。成年後見人のように代理人として代わりに上記のことをしてくれるわけではありません。

日常生活自立支援事業を利用するには

●利用できる人

日常生活自立支援事業のサービスを利用できる人は、次の2つに当てはまる人です。

・判断能力が不十分な方（認知症高齢者、知的障害者、精神障害者等であって、日常生活を営むのに必要なサービスを利用するための情報の入手、理解、判断、意思表示を本人のみでは適切におこなうことが困難な方）
・本事業の契約の内容について判断し得る能力を有していると認められる方

（厚生労働省「日常生活自立支援事業」）

ここでポイントとなるのは「判断能力が不十分な人」であれば利用できるけれど「判断能力がない人」は利用できないことです。
「判断能力が不十分な人」とは、日常生活に必要なサービスについて本人一人では適切に利用できない人です。つまり、援助さえしてもらえれば銀行の窓口で預金したり、預金の払い戻しができたり、障害福祉サービスの利用申請ができたりする人しか利用できないということです。

援助があっても難しい人はこの「日常生活自立支援事業」ではなく、あとで詳しく説明する「成年後見制度」を利用するしかありません。

●利用するための手続き

利用の申し込みやその前の相談（無料）などの窓口業務は、市町村の社会福祉協議会がおこなっているので、そちらに問い合わせます。

実際のサービスは、都道府県や政令指定都市の社会福祉協議会が利用者と契約を結んで提供します。

●利用料

日常生活支援事業の利用料金は、サービスを提供する社会福祉協議会が定める利用料を支払います。厚生労働省のホームページによると、本人を訪問する1回あたりの利用料金は、平均1,200円です。

1回の訪問に移動時間も含めると1時間以上はかかると考えられるので、1,200円という金額は高いとまではいえないかもしれません。月に数回程度の利用で済むのであれば、あとで述べる成年後見制度を利用するよりは安く済みます。

なお、ご本人が生活保護を受給していると、利用料は無料となります。

財産管理のサポート②
成年後見制度

成年後見制度は、利用者の家族にとってあまり評判のいい制度ではありません。成年後見人などの仕事を現役でおこなっている私からすると、利用者の家族が不満に感じる部分に対してうなずけるところもある一方、誤解している部分もあるというのが正直な感想です。

しかし現状では、成年後見制度に代わる制度が存在しないのが事実です。できるだけ正確に理解をして必要なときにうまく活用するしかありません。

　ですから本書でも紙幅を割いて、成年後見制度のしくみや申し込む手順、メリットや問題点について丁寧に解説することにします。

成年後見制度とは何か

　成年後見制度とは、認知症・知的障害・精神障害等で事理弁識能力に問題がある本人に対して、本人のサポート役となる人をつけて、ご本人の財産を適切に管理し、ご本人の生活を支える制度です。

「事理弁識能力」とは何かをわかりやすく言うと、「自分がおこなう法的な行為（たとえば契約）がどのような結果になるか判断する能力」です。たとえばお店で商品を買うときはお金を払わなければならないこと、払うと持っているお金がいくら減るかということをわかる能力のことです。

　読者のみなさんにとっては耳慣れない言葉でしょうから、この本では「事理弁識能力」ではなく、単に「判断能力」という言葉を使って説明していきます。

　なお、成年後見制度は判断能力に問題がある人のための制度ですので、身体障害があっても判断能力に問題がない場合には制度を利用することはできません。

法定後見と任意後見は何が違うのか

　成年後見制度は大きく「法定後見」と「任意後見」の2つに分けられます。どういうものなのか、それぞれ説明しましょう。

●開始の条件

・法定後見……判断能力に問題が生じたあとに、サポート役となる人（成年後見人などで、この「など」というのはどういう意味かについては、のちほど説明）を家庭裁判所が選任すると開始します。

・任意後見……判断能力に問題が生じる前に、本人があらかじめサポート役となる人（任意後見人）を選んで、任意後見契約を結びます。そして、本人の判断能力が不十分になった場合に、家庭裁判所が任意後見人を監督する人（任意後見監督人）を選任することで開始します。

家庭裁判所の選任によって後見が開始することは共通ですが、法定後見は誰が成年後見人などになるのかを家庭裁判所が決めるのに対して、任意後見は本人があらかじめ誰を任意後見人とするのかを決めることができるという点が違います。

●申し立ての手順

・法定後見……本人の判断能力に問題が生じたら、本人が住んでいる地域の家庭裁判所に、成年後見開始の審判を申し立てます。この申し立ての際に、成年後見人などになってもらいたい候補者がいれば、そのように家庭裁判所に伝えることができます。候補者には、弁護士などの専門職だけでなく、親族や知人でもなれます。

　その候補者に問題がある場合、または候補者がいない場合は、司法書士・弁護士・社会福祉士などの法律または福祉の専門職が、成年後見人などに選任されます。

　その候補者に問題がなければ、家庭裁判所はそのまま候補者を成年後見人などに選任します。

　また、候補者に問題はないものの、候補者一人では荷が重い場合には、複数人が成年後見人などとして選任されることもあります。たとえば、父と母や、きょうだいと専門職などです。また、成年後見人などを家庭裁判所の代わりに監督する人として、監督人がつくこともあります。

・任意後見……本人の判断能力に問題がないときに、今後本人の判断能力に問題が生じた場合に、本人の代わりに法的な行為をする任意後見人をあらかじめ決めて、本人と任意後見受任者（任意後見契約を結び、判断能力が低下したら任意後見人になると約束した人）とのあいだで「任意後見契約書」を作成します。その契約書は公証役場で公正証書にしなければなりません。

その後、本人の判断能力に問題が生じたら、任意後見受任者や本人、本人の家族などが、家庭裁判所に対して、任意後見監督人の選任の申し立てをします。任意後見監督人が選任されると、任意後見受任者は正式に任意後見人となり、任意後見が開始します。

ちなみに、2021年の成年後見制度の利用申し立て件数は約3万9,000件ですが、そのうち任意後見に関する申し立ては1,000件未満です。法定後見が圧倒的に多いことがわかります。

法定後見の3つのタイプ

3タイプの定義

法定後見は、本人の判断能力の程度によってサポートの程度が「成年後見」「保佐」「補助」の3つのタイプに分かれています。サポート役もそれぞれ「成年後見人」「保佐人」「補助人」という名前で呼ばれることになります。

ちなみに、ここまで「成年後見人など」という表現を使ってきたのは、その中に保佐人や補助人も含まれているからです。

成年後見制度についての話題は「成年後見」がメインにはなりますが、「成年後見」と「保佐」「補助」とではそもそもおもな仕事の内容が異なります。3つのタイプにはどんな違いがあるのか、簡単に説明しましょう。

●成年後見

本人の判断能力が「常にない」場合には「成年後見」になります。

たとえば、事理弁識能力のところで挙げた売買の例でいうと、お店で商品を買うためにお金を払わなければならないことや、手持ちのお金が代金分減るということが常にわからない場合には、成年後見にあたります。

●保佐

判断能力が「著しく不十分」な人の場合は「保佐」にあたります。

コンビニなどで買い物をすることに問題はないものの、お金の貸し借りや不動産の購入などについて一人で適切におこなうのは難しい場合や、お金を借りると手持ちのお金が増えるという理解だけではなく、決められた期限にお金を返すこと・分割払いのときには利息がプラスされること・支払い期限を守らないと一括で支払わないといけないことなどを理解するのが難しい場合には、保佐にあたります。

●補助

判断能力が「不十分」な人の場合は「補助」にあたります。

たとえば、お金の貸し借りや不動産の購入などの重要な財産行為について、自分一人でおこなうことは可能であるものの、適切におこなえないかもしれない場合です。

3タイプの具体例

さて、ここまでの説明を読んでどうでしょうか。正直、明快な基準とはいえないので、これだけでは「成年後見」「保佐」「補助」の違いがあまりイメージできないかと思います。

そこで、もう少し具体的な違いを挙げたいと思います。ある家庭裁判所がインターネット上に公開していた（現在はない）、成年後見・保佐にあたる人の目安です。

●「成年後見」にあたる例

・いわゆる「植物状態」や「植物状態に準ずる」場合
・療育手帳で重度判定
・精神障害者保健福祉手帳が1級
・知能検査などの実施ができない場合

●「保佐」にあたる例

・療育手帳で中等度判定
・精神障害者保健福祉手帳が2級

私自身、弁護士として現在「成年後見人」「保佐人」「補助人」の仕事をしていますが、私の知る限りでは、ほぼこの目安のとおりになっています。

3タイプ別の権限

法定後見をこの3つのタイプに分ける理由は、タイプによって本人をサポートする成年後見人・保佐人・補助人の権限が変わってくるからです。サポートしてもらう本人の立場から見ると、この3つのタイプによって本人自身でできる範囲が変わってきます。

では、どのような違いがあるのか見ていきます。

●成年後見

成年後見人が本人の財産を管理し、かつ、その財産に関する法的な行為について本人の代わりにおこないます。

成年後見人が代理でおこなえる行為の例は、次のとおりです。

・預貯金の出し入れ

・自宅不動産の管理や固定資産税の支払い
・携帯電話の契約やその支払い
・障害福祉サービスの申請や更新の手続き
・病院や障害者支援施設、グループホーム等との契約や支払い
など

そのほか、本人がした契約や支払い等について、本人にとって不利益になるようなものについては、成年後見人が契約などを取り消して、その契約などをなかったことにすることができます。

●保佐

基本的には本人が自分ですべておこなうことができます。ただし本人にとって大きな不利益を生むかもしれない重要な行為については、保佐人の同意が必要となります。

保佐人の同意が必要な行為の例は、次のとおりです。

・お金の貸し借り
・不動産等の売買
・訴訟
・贈与
・相続の放棄や遺産分割
・自宅の新築や改築や増築
・不動産の賃貸借など

保佐人の同意がないのに本人が重要な法的な行為をした場合で、それが本人にとって不利益なときには、その行為を取り消して、なかったことにすることができます。

保佐人は成年後見人とは違って、本人の代わりに何かをするというわけ

ではなく、上で挙げた重要な行為について「同意するかどうか」がおもな仕事になります。

もっとも、保佐されている本人が自分自身でおこなうのが難しい行為もあります。たとえば、財産管理や各種支払い、障害福祉サービスの申請や更新手続きなどです。

6-1 法定後見人3タイプと任意後見人のまとめ

本人の判断能力　低 ⟷ 高

後見人の権限　広い ⟷ 狭い

	法定後見人			任意後見人
	成年後見人	保佐人	補助人	
代理行為	成年後見人が本人の財産を管理し、かつ、その財産に関する法的な行為について本人の代わりにおこなう	権限が与えられた行為については代理でおこなえる		任意後見契約書に従う
契約の取り消し	本人にとって不利益な契約や支払い等について取り消せる	同意なくおこなわれた【重要な行為】で本人にとって不利益な場合は取り消せる	同左	なし
本人がおこなう行為に対しての同意		以下の行為については保佐人の同意が必要 【重要な行為】 ・お金の貸し借り ・不動産等の売買 ・訴訟 ・贈与 ・相続の放棄や遺産分割 ・自宅の新築や改築や増築 ・不動産の賃貸借 など	左の【重要な行為】の一部	なし

（著者作成）

そのような場合は、ある特定の行為については、保佐人に代理権を与えることができて、代理権が与えられたことについては保佐人が本人の代わりにおこなえます。

したがって、本人の状態やご本人の意向を踏まえて、保佐人の権限の範囲は変わってきます。保佐を受けている本人の希望や能力などによっては、成年後見人と同じように、ほとんどのことを保佐人が代わりにするということもあります。

●補助

保佐人と同じく「同意」がおもな仕事です。補助人の同意がないのに本人がおこなった行為を取り消すこともできます。

ただし補助人が同意する範囲は、保佐人がする範囲よりも狭くなります。また保佐人と同じく、ある特定の行為については補助人に代理権を与えることもできます。

ここまでの話をまとめると 6-1 のようになります。

成年後見人などになれるのはどういう人か

成年後見制度の利用を検討する際に、本人または家族が気になる点は、どのような人が成年後見人など（成年後見人・保佐人・補助人・任意後見人）になれるのかということだと思います。

まずは法律上、成年後見人などに「なれない人」が決まっていますので、それらを紹介してから、実際どういう人たちが成年後見人などになっているのかを見ていきましょう。

成年後見人などに「なれない」人

民法では、成年後見人などに「なれない人」として次の5つを挙げています。

(1) 未成年者
(2) 家庭裁判所に解任された法定代理人、保佐人、補助人
(3) 破産者
(4) 本人に対して訴訟し、または、したことがある人やその配偶者と直系血族
(5) 行方不明者

(1) と (3) については、成年後見人などの職務の柱の1つは、本人の財産管理にあるため、十分な財産管理能力のない未成年者や破産者が成年後見人などになれないのは当然です。

(2) の「家庭裁判所に解任された法定代理人など」は、本人の財産管理等をするには不適切であると家庭裁判所が認定した人ですので、これもまた成年後見人などになることができません。

(4) については、本人と訴訟をしたことがある人やその近親者は、本人と利害関係にあるため、成年後見人などとして誠実に職務をおこなわないおそれがあるためです。

(5) については、そもそも行方がわからないので成年後見業務ができません。

●任意後見人の場合

任意後見人の場合は上の5つに加えて、以下の人もなることができません。

・不正な行為、著しく悪い行いをしたことがあるなど任意後見人に不適切な人

成年後見人などに「なれる」人

では、実際にどういう人たちが成年後見人などになっているのでしょうか。どんな立場の人がなっているかによって次のように大きく3つに分けられます。

●親族後見人

本人の配偶者や親、子、きょうだいなどの親族が成年後見人などになる場合

●専門職後見人

司法書士・弁護士・社会福祉士などの国家資格を有する専門職がなる場合

●法人後見

社会福祉協議会・社会福祉法人・NPO法人等などの法人が成年後見人になる場合

●その他

少し細かい話になりますが、上の3つ以外の後見人のかたちとして最近注目されているのが「市民後見人」です。

市民後見人とは、専門職後見人のような国家資格や専門知識は無いものの、成年後見制度について研修を受けた一般の方のことです。一般的に報酬はゼロで、いわばボランティアの成年後見人などであると考えていいでしょう。

ただし、市民後見人本人に対する報酬はゼロでも、監督人に対する報酬は発生します。市民後見人は研修を受けただけの一般人で、資格をもっているわけでもなければ、親族のように本人のことを詳しく知るわけでもありません。

そのため社会福祉協議会などの法人が市民後見人の監督人に選任される

ことが多いため、その報酬は支払わなければなりません。「監督人」とは何かについては、このあと詳しく説明します。

成年後見人などを監督する人

監督人とは何か

本人をサポートする成年後見人・保佐人・補助人・任意後見人には、法律上強い権限が与えられています。本人の財産を使い込んだり着服したりしないか、適切に職務を遂行しているかを監督する必要があります。

●なるのは誰か

監督をする役割を担っているのは、家庭裁判所です。家庭裁判所において、成年後見制度に一番関与しているのは、家庭裁判所の書記官です。家庭裁判所の裁判官や調査官、参与員なども成年後見制度には関係しますが、成年後見人などと直接やりとりするのは書記官がほとんどです。

この家庭裁判所の書記官とは別に、成年後見人などを監督する人が家庭裁判所から選任されることがあります。その人のことを成年後見監督人・保佐監督人・補助監督人・任意後見監督人と呼びます。

ただしこれらの監督人は、必ず選任されるとは限りません。たとえば、成年後見監督人が選任される割合は、2021年で約3%です。

では反対に、どんなケースだと成年後見監督人が選任されやすいでしょうか。東京家庭裁判所によると、後見監督人が選任されやすいケースとして、次の2つを挙げています。

・預貯金などの流動資産が1,000万円以上の場合
・成年後見人による後見事務の遂行に関して、専門職の支援を受けることが望ましい場合

（東京家庭裁判所後見センター「後見センターレポートvol.22（令和2年1月）」）

●監督の業務

成年後見監督人の仕事内容は、成年後見人が不正な行為や権限を濫用しないように監督することです。具体的には、成年後見人に職務についての報告をさせて、必要があれば本人の財産を調査することもできます。

毎年1回、「後見事務報告書」「財産目録」「年間の収支予定表」領収書などの「裏付け資料」などの書類が成年後見人などから家庭裁判所に提出されます。事務報告書の内容を確認して、何か問題があったり不明な点があったりすると、家庭裁判所の書記官が成年後見人などに問い合わせをして詳細や経緯を確認します。この「事務報告書のチェック」が監督業務の基本となります。

問題がなければ、成年後見監督人は家庭裁判所に問題ない旨を報告します。疑問点があれば、成年後見人に事情を尋ねたり、追加の資料の提出をうながしたりします。

成年後見監督人が選任されているケースは成年後見人が親族など専門職ではないことが多いと考えられますので、成年後見人が職務をするうえで迷ったり疑問に思ったりしたことに対して、成年後見監督人が相談にのってアドバイスするということもおこなわれています。

202ページ「保佐人の同意する対象の行為」で挙げた9項目について、成年後見人が本人の代わりにするときは、成年後見監督人の同意が必要となります。

成年後見人が不正な行為をするなど、成年後見人として不適格であった場合、成年後見監督人は、家庭裁判所に対して、成年後見人の解任を請求することができます。

●監督人の任期

成年後見監督人は、成年後見人のように本人が亡くなるまでずっといるわけではありません。後見監督人が不要になれば辞任することもできます。

任意後見監督人

任意後見の場合、本人に判断能力があるときに、本人が選んで決めた人が任意後見人になるのが原則です。その任意後見受任者が適切に任意後見業務をおこなえる人かどうかについてはなんの保証もありません。そのため、任意後見人を監督する人として「任意後見監督人」が必ず選任されることが法律で決まっています。

●なるのは誰か

多くの場合、任意後見監督人は第三者である専門職がなります。

●なれないのは誰か

- 「成年後見人などに『なれない』人」で紹介した5つの条件（未成年者・家庭裁判所に解任された法定代理人、保佐人、補助人・破産者・本人に対して訴訟し、または、したことがある人やその配偶者と直系血族・行方不明者）にあてはまる人
- 任意後見人の近親者（配偶者・直系血族・きょうだい）。適正な監督が期待できないという理由から。

「親族は後見人になれない」は明確な誤り

よく「本人の親やきょうだいなどの親族は、後見人になることができないのではないですか?」という声を聞きますが、これは明確な誤りです。

ここまで説明してきたように親族は後見人になることができますし、最高裁判所が毎年発表している成年後見に関する統計データを見てもわかります。

6-2 親族後見人の選任割合

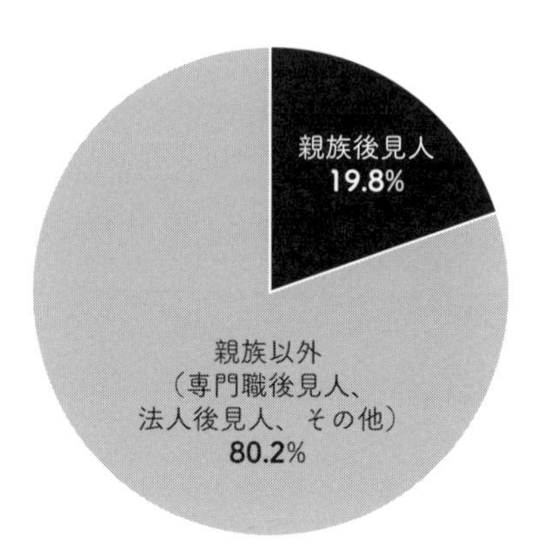

（最高裁判所事務総局家庭局「成年後見関係事件の概況 ―令和3年1月～12月―」10ページ　著者再編）

親族後見人は約20%というデータ 6-2 から「親族は成年後見人などになりたくてもなれない」と早合点する人が少なくないのですが、そもそも成年後見制度が作られた当時（平成12年）は90%以上が親族成年後見人などでした。

しかし、親族後見人による不正が相次いだことから、弁護士や司法書士などの専門職が成年後見人などに選任されることが多くなったのです。あくまで「多くなった」というだけであって、今でも親族が「成年後見人などになりたい」と手を挙げた場合には、多くの場合親族後見人になることができます。

この根強い誤解を払拭するためにも、なぜ親族後見人の割合が少なくなるのか、そもそもどのような手順を踏んで成年後見人などは選任されるのかについて詳しく説明します。

●**成年後見人が選任される手順**

成年後見制度を利用したいと思ったら、まずは家庭裁判所に申し立てをします。

その際に、申し立てをする人は成年後見人などの候補者を立てることができます。その候補者に問題がなければ、その人が成年後見人などに選任されます。

●**なぜ親族後見人の選任割合が少ないのか**

最高裁判所の統計データによると、親族が成年後見人などの候補者として立てられているケースは、全体の23.9%です6-3。

後見人などには強い権限が与えられているので、親族が候補者として手を挙げない限り、家庭裁判所が親族を成年後見人などに選任することはまずありません。したがって、親族後見人が2割程度しかいない理由は、そもそも親族の成年後見人などの候補者が少ないからにすぎません。

「親族を候補者として立てても、裁判所が認めてくれないんじゃない

6-3 親族が候補者として立てられている割合

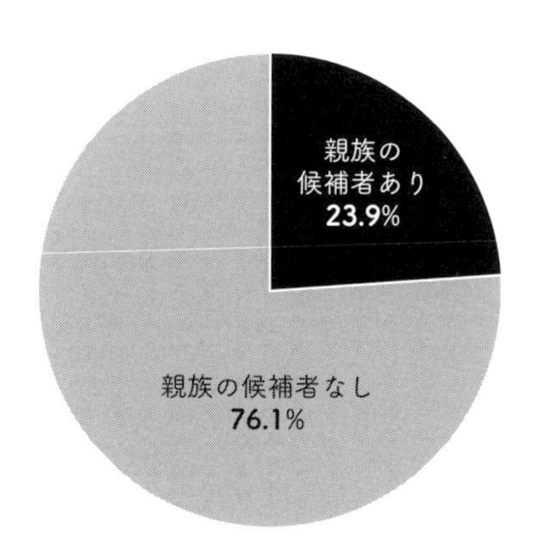

（最高裁判所事務総局家庭局「成年後見関係事件の概況 ―令和3年1月～12月―」10ページ）

か?」という誤解もあると思うので、いくつか反証を挙げておきましょう。

最高裁判所は「本人の利益保護の観点からは、後見人となるにふさわしい親族等の身近な支援者がいる場合は、これらの身近な支援者を後見人に選任することが望ましい」として、「平成31年1月各家裁へ情報提供」しています。東京家庭裁判所後見センターは、「親族が後見人候補者とされているケースで、その候補者が選任されない案件のほうがむしろケースとしては少数です」と述べています(「後見センターレポートvol.21」令和2年1月)。

●障害者をもつ家庭の場合

ここまでのデータは、障害者以外の家庭のケースも含めた割合です。障害者をもつ家庭が成年後見制度を利用した場合、親族後見人はどのくらいの割合で選任されているのかを見てみましょう。

知的障害者の親などの会である「全国手をつなぐ育成会連合会」は、知的障害者の親に対してアンケート調査をおこなって、2021年にその結果が発表されました。その調査結果によると、「親族後見が70%を占め」ています(「成年後見制度に関するアンケート調査」2021年8月 5ページ)。

また横浜生活安心センターが、横浜市内の障害のある方及び家族を対象としておこなった調査の結果によると、成年後見制度を利用している9件のうち、8件(88%)が親族後見人となっています(「成年後見制度の利用に関するアンケート結果」平成27年 3ページ)。

育成会と横浜市の調査は、回答数が少ないため一般化することはできません。

しかし、以上のデータや資料から、多くの場合親族が成年後見人などに選任されていることがわかります。少なくとも、親族が成年後見人などになるのは難しいというのは、明確に誤りです。

●親族が成年後見人に選任されないケース

もちろん、親族を成年後見人などの候補者として立てたとしても、すべての候補者が成年後見人に選任されるわけではありません。では、親族が成年後見人などの候補者となっていても、実際に選任されないのはどういうケースでしょうか。

先ほど紹介した東京家庭裁判所の後見センターレポートによると、親族候補者が選任されなかった事例としては、次のようなものが挙げられています。

・親族間に意見の対立があるケース
・ご本人が親族候補者の選任に反対しているケース
・候補者がご本人の財産を投資などにより運用する目的で申し立てをしているようなケース
・候補者が健康上の問題や多忙等のため適正な後見事務をおこなえないと判断されるケース

もちろんこれは東京家庭裁判所の話ですので、ほかの地域の家庭裁判所では違うかもしれません。

しかし地域によって親族後見人が選ばれやすい・選ばれにくいというのは司法の公正さに反することになりますので、大きくは変わらないと考えていいでしょう。

上記のように、親族候補者が成年後見人などに選任されないケースというのは、成年後見を受ける本人が反対している、または本人にとって不利益が生じる可能性があると判断された場合に限られるということが読み取れます。

したがって「親族や本人が望んだとしても、親族が後見人になるのは難しい」というのは正確な情報ではありません。

●「財産が一定額以上を超えると、親族は後見人に就けない」も誤りです

もう一つ、誤解の例を挙げましょう。

本人に高額の財産がある場合には、専門職を成年後見人などに選任する場合があると説明する家庭裁判所もあります。しかし家庭裁判所は、単に本人の流動資産の金額だけで、専門職を成年後見人に選任するわけではありません。成年後見人などの候補者の適格性を、本人の財産の内容を考慮して決めることになります。

また、本人の財産が多額の場合であっても、親族が成年後見人などになる場合もあります。たとえば、成年後見人などを希望している親族に選任し、その親族後見人などを監督する人に専門職を選任したり、後見制度支援信託を利用して、親族後見人が管理する預貯金などの流動資産を減らしたりすることもあります（東京家庭裁判所「後見センターレポートvol.22」令和2年1月）。

なお、後見制度支援信託は、保佐、補助、任意後見では利用できません。

このように「本人の流動資産が一定金額を超えると、親族が成年後見人などになるのは難しい」というのは正確な情報でありません。不正確な情報にもとづいて、いたずらに成年後見制度の利用を避けるのは望ましくありません。

成年後見人などはどんな仕事をするのか

成年後見制度を利用するかどうかを検討するうえで、成年後見人などがどのようなことをしてくれるのかということが重要になります。

それがわからないと、成年後見制度を利用するメリットがわからないですし、よくわからないまま成年後見制度を利用することになると、こんなはずではなかったと後悔することにもなりかねません。

成年後見人などのおもな仕事は「本人の財産の管理 」と「本人の身上

監護」の2つです。

成年後見人の仕事①財産管理

まずは「財産管理」について、具体的にはどんな仕事をおこなうのか例を挙げて説明しましょう。ただしここからの説明は「成年後見人」を念頭に置きます。

任意後見人や、代理権が与えられている保佐人や補助人で代理権の範囲が制限されている場合には、これから説明する行為のすべてを障害者本人の代わりにできるわけではないので、ご注意ください。

財産管理をおこなううえでは最初に、本人にどのような財産があるのかを把握します。代表的なものは、預貯金・不動産などです。

●預貯金の管理

本人に預貯金があれば、その通帳を成年後見人などが預かって、預貯金の入出金は成年後見人などがおこなうことになります。本人の生活に必要な支払いなども、成年後見人などが管理している預貯金口座から支払います。

基本的には自動引き落としで支払うことになりますが、自動引き落としに対応していない病院やグループホームなどは、振り込みや現金書留で支払います。

●不動産の管理

本人に不動産がある場合には、不動産登記簿を取得して、本人所有の不動産を把握します。不動産の管理として修繕が必要であれば修繕し、清掃等が必要であれば清掃業者に依頼をします（成年後見人などの職務には、不動産の清掃は含まれていない）。

不動産の固定資産税の支払いも成年後見人などの財産管理の一つです。

●保険の管理

本人が生命保険や医療保険に加入していた場合には、保険金の請求や現金の受け取りなども成年後見人などがおこないます。

また、本人や不動産に万が一のことがあった場合に備えて、火災保険等の損害保険にも加入します。

●相続の管理

障害者本人の配偶者や親が亡くなって相続が発生した場合、その相続の手続きや遺産分割協議は成年後見人などがおこないます。遺言書があり、障害者の遺留分を侵害している場合には、遺留分侵害請求をして、取り戻します。

●交渉や訴訟の代理

本人が他人に損害を与えた場合、または他人から損害を与えられた場合の、示談交渉や損害賠償請求訴訟も本人の代わりに成年後見人が対応します。

成年後見人などの財産管理において注意しなければならないポイントは、職務内容はあくまで「本人の財産を維持し保護すること」であるということです。

ですので、本人の財産を増やすために投資をおこなうとか、高く売れるので本人の財産を売却するというようなことは、成年後見人などの職務ではありません。

このように、成年後見人は、本人の財産管理について多くの権限が与えられています。成年後見人は、自分の判断で本人の財産を処分することができます。ただし、本人が住んでいる家を売却したり、賃貸住宅を解約したりする場合には、家庭裁判所の許可が必要となるというふうに民法で規定されています。

本人の住居は地域で生活をするうえで必要不可欠なものなので、成年後見人の勝手な判断で、本人の住まいが奪われないように、家庭裁判所の許可が必要としています。

成年後見人の仕事②身上監護

身上監護とはおもに次のような事柄に関して、法的な行為を本人の代わりにすることです。

●介護、生活維持

本人に障害福祉サービスや介護保険サービスによる介護が必要であれば、その利用申請をおこないます。生活を維持するために、年金や生活保護の受給が必要であれば、その受給申請もおこないます。これには、障害年金の再判定、障害者手帳の更新のための医師の診断書の取得なども含まれます。

●住居の確保

本人の住む場所の確保として、賃貸借契約・障害者グループホームの入居・障害者支援施設の入所（本人の意思に反して、成年後見人が住む場所を決める権限はない）・家賃や利用料金の支払いも成年後見人がおこないます。成年後見人自身で、本人の住む場所を探したり、相談支援員やケアマネージャーに依頼したりして探します。

本人の住む場所の確保については、本人の意思を無視してどこに住むのかを決めることはできません。もちろん、本人に資力がないため現在住んでいる家を引っ越さなければならない場合や、自宅での介護が困難になりグループホームや障害者支援施設に入所せざるを得ないこともあります。しかしその際もできるだけ本人の意思を尊重して住む場所を決めることになります。

●施設の入退所、処遇の監視など

住む場所が決まった後は、本人がグループホームや障害者支援施設で適切な対応を受けているか監視することも成年後見人の職務に含まれます。

●医療

本人に必要であれば、医療を受けるための診療契約の締結や医療費の支払いなども成年後見人がおこないます。ただし、手術などの医的侵襲行為については、成年後見人には同意権がないといわれています（医的侵襲行為とは、身体に危険がともなう医療行為のことで、手術が典型例。投薬や注射なども含まれる）。

手術・投薬・注射などは、医師が適切な方法でおこなわないと生命や身体に危険が及びます。または、適切な方法でおこなったとしても生命や身体に危険が及ぶリスクがあります。

このような医的侵襲行為は、本人の同意があることが大原則ですので、この本人の同意を成年後見人が代わりにすることはできないとされています。

もっとも、日常的におこなわれる服薬や注射・採血などは明確な同意をとることは稀ですので、問題となるのは手術のように重大なリスクをともなうものや、侵襲とはいえないものの、生死に関わる延命治療の不同意においてです。

成年後見人の仕事③契約などの取り消し

以上のような財産管理や身上監護に関する職務は、成年後見人の「包括的な代理権」を根拠にしておこなっています。

成年後見人にはこの代理権のほかに、本人がおこなった契約などを取り消すことができるという権限があります。これを「取消権」といいます。

たとえば、本人が必要もないリフォーム契約を成年後見人の知らないあいだに結んでいたとします。成年後見人はそれを知った時点でその契約を取り消すことができます。「取り消す」というのはどういうことかというと、リフォーム代金の返還などを業者に対して求めて、契約を結ぶ前の状態に戻すということです。
成年後見人が親族以外の人（弁護士などの専門職や社会福祉法人など）の場合、本人と同居することはまずありません。そのため、成年後見人の知らないところで本人にとって不要なまたは不利益な契約を結んでしまうことがないわけではありません。
そのような場合に、本人が結んだ契約をなかったことにするのが取消権です。取消権は、本人の財産を保護するための権限ということになります。日常生活における買い物や支払いなどを除いて、本人がした契約などは成年後見人が取り消すことができます。
ちなみに、この取消権は任意後見人にはありません。

成年後見人の仕事④死後事務

成年後見人などは一定の場合に、本人の死後事務に関する業務をおこなうこともできます。死後事務とは、亡くなった本人の死亡後におこなう事務のことです。死後事務の具体例は、次のとおりです。

・遺体の引き取り
・火葬や埋葬
・医療費、入院費、公共料金などの支払い
※成年後見人がおこなえる死後事務には、通夜、告別式などの葬儀は含まれません

本人が亡くなった際に相続人や親族がいれば、葬儀や火葬・埋葬は相続人や親族がおこなうのが一般的です。しかし親族がいない場合や、いたとしても遠方や疎遠などの理由で葬儀などをおこなえない場合には、成年後見人は裁判所の許可を得たうえで葬儀などをおこなうことができます。なお、火葬、埋葬については本人の近しい人の中に誰も執りおこなう人がいなければ地方自治体の方で火葬と埋葬をおこないます。
私の子は一人っ子ですし、私の子よりも若い親族は今のところいませ

ん。そのため、私の子が亡くなったあとに葬儀等の死後事務をしてくれる人がいるかどうかわかりません。

私の子のことを知らない地方自治体の職員に見送られるのは忍びないので、うちの子の死後事務をおこなってもらうという点でも、私は成年後見制度を利用するつもりです。

なお、この死後事務をおこなうことができるのは、成年後見人だけです。保佐人・補助人・任意後見人にはおこなう権限はありません。

ただし生前に「死後事務委任契約」を結べば、保佐人・補助人・任意後見人であっても死後事務をおこなうことができます。

以上が成年後見人のおもな仕事内容です。

保佐人はどんな仕事をするのか

次に保佐人の仕事について説明します。

保佐人の基本的な権限は、本人の重要な財産の処分などに対する同意・不同意の権限と、同意なくなされた行為の取消権の行使です。

保佐人の同意する対象の行為は、法律で次のように決まっています。

(1) 金銭や不動産の受領（預貯金の払い戻し、弁済金の受領も含む)、金銭の貸付
(2) 借金や保証
(3) 不動産などの重要な財産の処分、抵当権の設定
(4) 訴訟
(5) 贈与、和解など
(6) 相続の承認、放棄、遺産の分割
(7) 贈与の拒絶、遺贈の放棄、負担付き贈与の承諾、負担付遺贈の承認

(8) 居住用不動産の新築、改築、大規模修繕
(9) 3年を超える建物賃借、5年を超える土地賃借など
※日用品の購入などの日常生活に関する行為については、同意の対象となりません

本人が保佐人の同意を得ずにこれらの重要な財産行為をした場合には、保佐人は取り消すことができます。

たとえば保佐人の同意なく、相場よりも相当安く不動産を売却してしまった場合には、その売買契約を取り消して不動産を取り戻すことができます。一方、同意がなかったとしても売却をした価格が適正で、本人に不利益がないと保佐人が判断した場合には、売買契約を取り消さないということももちろんできます。

保佐人は同意をするかどうかの判断がメインで、契約などは本人がすることになります。このように保佐人は、成年後見人と比べると仕事の内容が少ないことがわかります。

では、保佐人は成年後見人をつけるよりも安く済むでしょうか。報酬についてはのちほどあらためて説明しますが、先に結論だけお伝えすると、保佐人の報酬は成年後見人の報酬と同じく月額最低2万円となります。そうなると、わざわざ同じ額の報酬を払ってまで、仕事内容の少ない保佐人をつけるメリットがどこまであるのかという疑問はあります。

もっとも、本人の希望によっては保佐人にも成年後見と同じく代理権を付与することができます。成年後見人と同じく広範な代理権を付与することもできますし、逆に、必要なことに限定して代理権を与えることもできます。

代理権の詳細については、家庭裁判所の代理行為目録を掲載しているので(巻末資料6-1　322ページ)確認してください。

補助人はどんな仕事をするのか

補助人の仕事内容は、保佐人と同様で「同意と取消」です。

ただし保佐人よりも同意できる範囲は狭く、保佐人のところで挙げた9項目のうち、本人が希望するまたは本人に必要な一部が、補助人の同意がないとおこなえない行為となります。

代理権は、保佐人と同じく補助人にも与えることができます。

報酬は、成年後見人や保佐人と同じく月額2万円以上です。

任意後見人はどんな仕事をするのか

任意後見人は成年後見人と同じく、財産管理や身上監護に関する法的な行為を本人の代わりにすることが仕事内容です。

●任意後見人の代理権

ただしどのような行為を本人の代わりにできるかは、任意後見契約で決めたものに限られます。

成年後見人のように包括的な代理権を任意後見契約で定めることもできますし、保佐人や補助人のように一部だけ代理権を与えることもできます。

●任意後見人の取消権

ただし任意後見人には、本人がした契約などを取り消す権限はありません。つまり任意後見人の知らないところで本人が不利益な契約をしてしまったとしても、それをなかったことにすることはできないということです。

任意後見は本人の判断能力が「なくなった」場合だけではなく、「不十分になった」場合であっても開始されますので、任意後見人の知らないところで本人がなんらかの契約などをすることは十分あり得ます。

その場合はたとえ本人にとって不要または不利益な契約であったとしても、それを取り消して、無かったことにすることはできません。
以上のことをまとめると、代理権の面では任意後見人には成年後見人と同じ権限を与えることができますが、本人の財産の保護という点では任意後見人のほうが成年後見人よりは手薄ということになります。この点を押さえておいてください。

成年後見制度の利用にはいくらかかるのか

ここまで、成年後見制度を利用すると「何をしてくれるのか」について解説してきました。もう1つ、利用するかどうかを決めるうえで気になるのは「どれくらいの費用がかかるのか」だと思います。

成年後見制度を利用するうえでの費用は、大きく次の2つに分けられます。

●申し立て費用

これは通常1回しかかかりませんし、弁護士に依頼せずに自分たちで書類を集めて家庭裁判所へ成年後見制度利用の申し立てをする場合は、1万円程度で申し立てをすることができます。

●成年後見人などの報酬

対して成年後見人などへの報酬は本人が亡くなるまで毎年かかります(親族が成年後見人などに選任されて、報酬を請求しない場合を除く)。
報酬がいくらかかるのかは、ここまでの解説でも少しだけふれてきましたが、あらためて詳しく解説します。

基本報酬と付加報酬

成年後見人など（成年後見人・保佐人・補助人・監督人）の報酬は「基本報酬」と「付加報酬」に分けられます。

基本報酬とは、成年後見人などが通常おこなう職務に対する対価で、成年後見人などが請求すれば必ず発生します。付加報酬とは、成年後見人などの通常おこなう職務が特別に困難であった場合や、通常おこなう職務ではない特別な行為をした場合に支払われる報酬です。

報酬の金額は家庭裁判所が決めます。基本報酬・付加報酬・監督人の報酬について、家庭裁判所が具体的な基準を公表しているので、その内容を紹介しましょう。

●基本報酬はいくらか

家庭裁判所の基準によると、成年後見人などの基本報酬は、現金・預貯金・有価証券（株式、投資信託、国債など）の流動資産（簡単に現金化できる資産）の合計金額によって、6-4のように3段階に分かれます。

●付加報酬はいくらか

一方、付加報酬については基本報酬のように、家庭裁判所から明確な目安は公表されていません。わかっている範囲ですが、6-5のとおりです。

●監督人の報酬はいくらか

成年後見監督人・保佐監督人・補助監督人・任意後見監督人の報酬の目安は、6-6のとおりです。

任意後見人の報酬はいくらか

任意後見人の報酬は、任意後見契約を結んだときに本人と任意後見受任者とのあいだで自由に決めることができます。ですので任意後見人が親族の場合には、無報酬（報酬ゼロ）とすることもできます。ただし任意後見人が弁護士などの専門職の場合は、無報酬ということは、まずありません。

報酬を支払う場合の具体的な金額はケースバイケースですが、成年後見人などの基本報酬を参考に決められると思われます。なぜなら、任意後見人と成年後見人の職務内容は多くの場合ほとんど同じであり、職務内容が同じであればその対価である報酬も同じぐらいになるのが自然だからです。

6-4 成年後見人などの基本報酬

流動資産	月額	年額
1,000万以下	2万円	24万円
1,000万超から5,000万以下	3～4万円	36～48万円
5,000万超	5～6万円	60～72万円

（東京家庭裁判所「成年後見人等の報酬のめやす」平成25年1月1日）

6-5 成年後見人などの付加報酬

例	金額の目安
身上監護などが特別に困難な場合	基本報酬の50%の範囲内
特別なことをした場合	本人が手に入れた経済的利益の数%から15%の範囲内

（著者作成）

6-6 監督人の報酬

流動資産	月額	年額
5,000万以下	1～2万円	12～24万円
5,000万超	2万5,000～3万円	30～36万円

（東京家庭裁判所「成年後見人等の報酬のめやす」平成25年1月1日）

成年後見の利用を助ける助成制度

成年後見制度を利用することにためらう理由としてよく挙がるのが、親族以外の人が成年後見人になったときに、月額最低2万円（年額24万円）を本人が亡くなるまで払い続けなければならないという負担です。

たとえば、障害者本人の収入が少ないので毎月2万円も支払うことができないとか、障害のある子どものためと思って貯めたお金を成年後見人のために使うのはもったいないなどという声をよく耳にします。

確かに、成年後見人などの報酬は決して安いものではありません。しかし本人の収入が少なくて成年後見人などの報酬を払うことができないという問題については、すでに対策がなされています。それは、市区町村の「成年後見制度利用支援事業」です。

●成年後見制度利用支援事業とは何か

この事業は、障害者総合支援法に定められている生活支援事業（必須事業）の一つで、障害福祉サービス利用の観点から成年後見制度を利用することが有用である障害者で、利用に必要な費用について補助を受けなければ成年後見制度の利用が難しい人に対して、その費用を支給する事業です。簡単にいうと、本人の収入が少ない場合に成年後見制度の費用を助成する制度のことです。

費用とは、先ほど紹介した成年後見制度利用の申立関係費用と成年後見人などへの報酬のことです。

つまりこの制度を利用すれば、収入の少ない障害者であっても、報酬を自分の収入資産から支払わずに成年後見制度を利用することができるということです。障害者の親亡き後の備えとしても非常に有用な制度です。

●地域による助成内容の違い

成年後見制度利用支援事業は、市区町村の必須事業ですので、どこの地方自治体もおこなう必要があります。ただし、すべての地方自治体が同じ内容の助成をおこなっているわけではありません。

たとえば、この助成制度は本人の収入が少ない場合に利用することができますが、どの程度であれば「少ない」のかという基準は地方自治体によって違います。

生活保護を受給している場合や住民税非課税の場合は助成制度を利用できるケースが多いのですが、本人が保有している資産の額や同居している親族の資産の額がどの程度であれば利用できるのかについては地方自治体によって違います。

●利用制限がある地域も

また地方自治体によっては、市区町村長の申し立てによって成年後見制度の利用を開始した場合にしか、成年後見人などへの報酬を助成してくれないというところも少なくありません。

「市区町村長の申し立て」というのは何かというと、成年後見制度の利用が必要な障害者だけれども、利用の申し立てを本人ではできない、または申し立てできる親族がいない場合に、市区町村長が代わりに申し立てすることを指します。

つまり、本人や親族が申し立てた場合には成年後見人などの報酬は助成されないことになります。

ちなみに最高裁判所の統計によると、成年後見制度の利用申し立てのうち、市区町村長の申し立てがもっとも多く23.3%です。しかし、本人による申し立てと親族による申し立てを合計すると全体の73.4%となります6-7。

つまり7割以上のケースで、成年後見人などの報酬が助成されないことになります。これは明らかに問題です。

最近は、市区町村長申立ての限定をなくす地方自治体も増えてきていますが、相変わらず限定している地方自治体は残っているのが現状です。

●任意後見人、任意後見監督人の報酬は対象外

任意後見は、本人が任意後見人となる人を選べたり任意後見人の報酬を

6-7 利用申し立て人と本人との関係

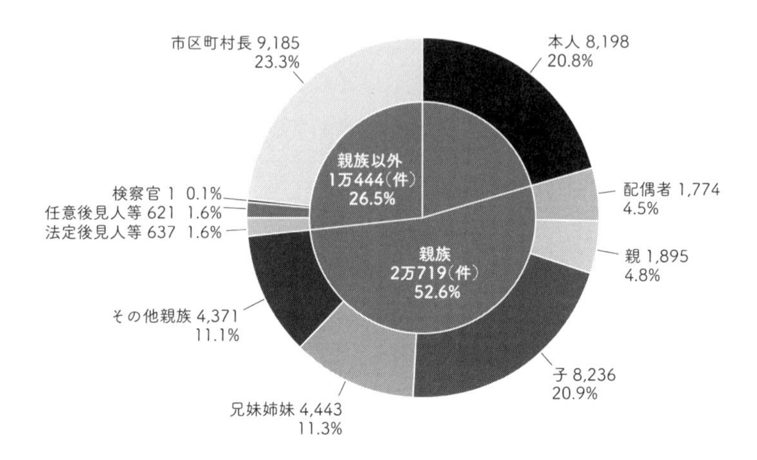

(最高裁判所事務総局家庭局「成年後見関係事件の概況―令和3年1月~12月―」4ページ　資料4)

決めたりできるので、法定後見よりも使い勝手はよいという利点がある一方、この報酬助成の対象外となっています。これは法律で決められているので、全国共通です。

任意後見人の報酬も任意後見監督人の報酬も、本人の収入や資産の多少にかかわらず、本人の財産から支払うことになります。

●親族後見人の報酬は助成の対象外

親族後見人の報酬が、助成の対象外となっている地方自治体は多くあります。ただし任意後見人の場合と違って法律で決められているわけではないので、地方自治体の裁量で親族後見人の報酬も助成の対象とすることはできます。

親族後見人を考えている方で、報酬助成を受けたいという方は、まずお住まいの地域で親族後見人に対する報酬が助成の対象になっているかどうかを確認しましょう。
弁護士などの専門職を成年後見人につけてしまうと報酬がかかってもったいない、と考えて親族を成年後見人につけたばかりに、かえってこの助成制度が利用できないという場合もありますので、ご注意ください。

この成年後見制度利用支援事業については、障害者の親亡き後の書籍やセミナーではふれられることは少ないので存在をご存知ない方もいるかと思います。
しかし、この事業の存在は、成年後見人などの報酬がハードルとなって成年後見制度の利用をためらっている人にとってはありがたい制度なので、広く知らせてほしいと思います。

成年後見制度を比較して検討する

ここまで、成年後見制度について詳しく見てきました。
成年後見制度の良し悪しについては、似たような制度と比較することでより理解できます。本書では、次の3つについて比較します。

・法定後見と任意後見の比較
・日常生活自立支援事業との比較
・信託との比較

法定後見と任意後見の比較

成年後見の場合に費用がいくらかかるかについてはすでにお伝えしました。
では、任意後見の場合と比べたときにどんな違いが出てくるでしょうか。まずは申し立て費用について比較します。

●家庭裁判所への申し立て費用

・法定後見……すでにお伝えしたように、医師の鑑定がない限り1万円未満
・任意後見……法定後見と同様

申し立て費用自体は上記のとおりですが、法定後見と任意後見のどちらであっても、家庭裁判所の申し立てにはさまざまな書類や文書を用意しなければなりません。

自分で申し立てをするのが難しいという場合は、弁護士に依頼して、代わりに申し立てをしてもらうことができます。その際の弁護士費用は20万円くらいです。

●任意後見契約書の作成費用

任意後見の場合は、家庭裁判所の申し立ての前に「任意後見契約書」というものを作成して公正証書にしなければなりません。「任意後見契約書」とは何かというと、本人と後見人になる人とのあいだで「誰が任意後見人になるか」ということをはじめ、「これらの項目について代理行為をしてください」「任意後見人の報酬はいくらか」など、どんなルールのもとに任意後見をおこなうかという詳細も含めて明文化し、契約を交わすものです。

任意後見契約書は自分で作る場合には無料ですが、弁護士などの法律家に依頼すると10万円から20万円の費用がかかります。また、その任意後見契約書を公正証書にする諸費用の合計は約2万円です。

法定後見の場合はこのような費用はかかりません。

ここまでの話をまとめると 6-8 のとおりになります。

●成年後見人などへの報酬

次に、成年後見人などに支払う報酬について法定後見の場合と任意後見

6-8 法定後見と任意後見の、申し立てにかかる費用の比較

	法定後見	任意後見
準備費用	0円	2万円 10～20万円 （任意後見契約を法律家に作成してもらう場合）
申し立て費用	1万円未満 20万円 （申し立てを弁護士に依頼する場合）	1万円未満 20万円 （申し立てを弁護士に依頼する場合）
合計	最低1万円 最高21万円	最低3万円 最高43万円

（著者作成）

の場合を比較します。

成年後見人などの主な選任のパターンと、最低限かかる報酬は次のとおりです。

（1）専門職後見人……月額2万円
（2）親族後見人……後見人側が請求しなければゼロ
（3）親族後見人と後見制度支援信託の併用……後見制度支援信託を設定するために選任された専門職後見人の報酬（約15万円）を一度支払うだけ
（「後見制度支援信託」については215ページ「信託と成年後見制度の比較」のところで詳しく説明）
（4）親族後見人と監督人……監督人への報酬は月額1万円
（5）任意後見人と監督人……監督人への報酬は月額1万円

5つのパターンのうち、現在（2023年12月）の時点で先ほど解説した「成年後見制度利用支援事業（成年後見人などの報酬助成）」が利用できるのは、上記（1）～（5）のうち、

6-9 選任パターン別の報酬の比較

	専門職	親族	親族＋信託	親族＋監督	任意後見
年額	24万円	0円	15万円（一度）	12万円	12万円
報酬助成	○	×	×	△	×

（著者作成）

（1）専門職後見人
（4）親族後見人と監督人

の2パターンのみです。

（3）の成年後見制度支援信託の利用は本人の流動資産が1,000万円以上ある場合に限られますので報酬助成は受けられないと思います。

これらをまとめると、6-9のとおりになります。任意後見は毎年報酬を支払わなければならず、報酬助成も受けられないということがわかります。

日常生活支援事業と成年後見制度の比較

次に、176ページで「財産管理のサポート①」として紹介した「日常生活自立支援事業」と、成年後見制度を比較してみましょう。

日常生活自立支援事業は知的障害・精神障害者の金銭管理についての公的な制度ですが、本人に判断能力がない重度の障害者の場合は利用することができません。ですので、重度の障害者の場合は成年後見制度を利用するしかありません。

軽度や中等度で判断能力がある障害者は、日常生活支援事業と成年後見制度のどちらも利用することができます。

●何をしてもらえるか

日常生活支援事業はあくまでも本人の金銭管理のサポートですので、成年後見制度のように本人の代わりに、契約や手続きなどの法的なことをしてくれるわけではありません（社会福祉協議会と個別に委任契約を結べば、代わりにしてもらうことも可能）。

ですので、判断能力はあるけれど、契約や手続きなどの法的なことは代わりにしてもらいたいという方は成年後見制度のほうがいいということになります。

●支払う費用

・日常生活支援事業の1回あたりの利用料……平均1,200円
・保佐人や補助人の月額の報酬金額……2万円

上の2つの料金を比較すると、月16回以下の利用であれば、日常生活支援事業のほうが安くなるという計算になります。

金銭管理のサポートは必要ではあるものの、月に数回程度しか必要ないのであれば、日常生活支援事業のほうが本人が支払う費用は少なくなります。

判断能力がある障害者が、金銭管理としてどちらの制度を利用するかは、本人のニーズにもとづいて、おトクなほうを利用するということでいいかと思います。

信託と成年後見制度の比較

それでは最後に、ステップ5で詳しく紹介した信託と成年後見制度を比較してみましょう。なぜ信託と比較する必要があるかというと、成年後見制度の使い勝手が本人やその家族にとってあまりよくないことから、成年後見制度ではなく信託をすすめられることがあるからです。

6-10 信託のしくみ

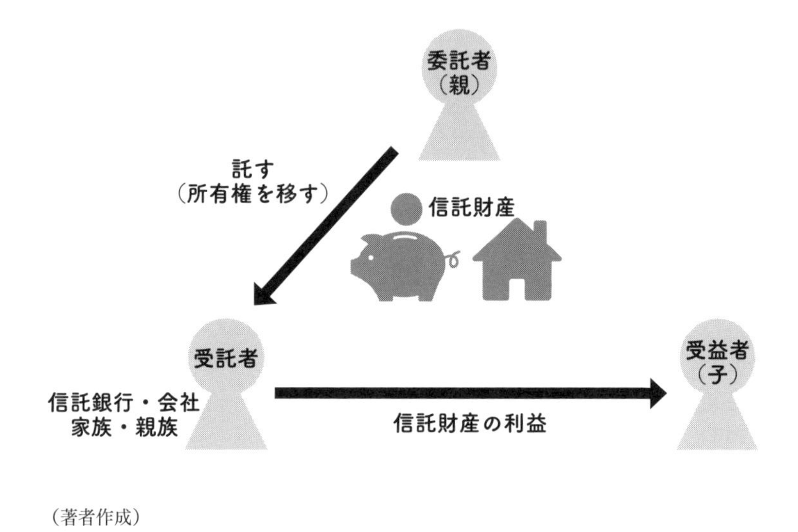

（著者作成）

念のため、ここで信託についておさらいをしておきましょう。ステップ5で取りあげた図をもう一度掲載して説明します。

信託には3人の人物が登場しました。所有する財産を託す「委託者」、その財産を託される「受託者」、その財産から生じる利益を受け取る「受益者」です。託された財産が「信託財産」です **6-10**。

結論からいうと、成年後見制度の代わりに信託の活用が有用といえるのは、将来的に認知症になるかもしれない高齢者です。障害者の場合はケースバイケースです。

高齢者にとって信託が有用なのは、認知症になる前に信託を設定しておけば、仮に認知症になったとしても高齢者が築いた財産の管理は受託者である信託銀行や信託会社・家族ができます。また、介護サービスを受けるために、成年後見人は必須ではありません。したがって、認知症高齢者に家族がいれば成年後見制度を利用しなくて済む可能性は十分にあります。

対して障害者が必要としているのは、財産の管理や処分だけでなく、手続きの代理や不利益な契約をしてしまった場合に取り消せる権利です。

信託の受託者はあくまで「委託者から託された財産の管理や処分」だけしかできません。成年後見人のように障害者の代わりに障害福祉サービスや介護保険サービスの申請や更新をしたり、本人がした不要な契約や不利益な契約を取り消したりすることなどはできないのです。

福祉・介護サービスを受けるには成年後見人は必須ではないので、障害者に家族がいる場合は信託でなんとかなるかもしれません。しかし、一人っ子の障害者の親亡き後には、信託だけでは不十分になり、結局成年後見制度を利用せざるを得ないことにもなりかねないです。

その場合、すでに親はいませんので、まともな成年後見人が選任されるかは運次第ということになります。

●後見制度支援信託

「後見制度支援信託」という、成年後見制度と信託のハイブリッドな制度もあります。

この制度は、もともと後見人の不正防止を目的としたものです。本人の日常生活において必要十分なお金を預貯金として後見人が管理して、当面使う予定がないお金を信託銀行に信託するというしくみです。

信託されたお金については、後見人ではなく信託銀行が管理します。

信託されたお金の払い戻しや信託契約の解約をするには、家庭裁判所の指示がなければできません。信託をこのように利用することで、後見人の不正を防止できます。

家庭裁判所が後見制度支援信託の利用が望ましいと判断すると、後見制度支援信託を設定するために、弁護士や司法書士などの専門職後見人が選任されます。

その専門職後見人が本人の財産や収支を調査して、当面後見人が管理する必要のないお金を、信託銀行と信託契約を締結して信託します。

後見制度支援信託の設定が完了したらその専門職後見人は15万円程度

の報酬を得て辞任します。

後見制度支援信託を利用すれば、専門職後見人や監督人がいなくても本人の財産が守られることになります。1,000万円を超えるような多額のお金を不正に利用されることを防止しつつ、成年後見制度の利用に必要な費用を抑えたいというニーズにあったしくみといえます。

成年後見制度の問題点

成年後見制度の説明の冒頭で「成年後見制度は利用者の家族にとってあまり評判のよい制度ではありません」と書きました。確かにこの制度は完璧なものではないため、問題点はさまざまあります。

そこで、成年後見制度についての解説の結びとして、実際に成年後見制度を利用している知的障害者の家族がどのような点に問題があると感じているかを紹介します。

成年後見制度利用者からの不満

知的障害者の親たちが中心の団体である「全国手をつなぐ育成会連合会」の報告書によると、実際に成年後見制度を利用して問題だと思った点について、120人の方が 6-11 のような回答をしています。

知的障害者においては「財産の管理」よりも「身上監護」のほうが問題となることが多く、成年後見人などには障害特性や障害福祉に対する理解や専門知識が必要となります。

しかし、専門職後見人などの60%以上は司法書士や弁護士という法律の専門家であり、福祉の専門家ではありません。

一部の司法書士・弁護士には障害に関する理解や専門知識をもっている人はいますが、少数です。

では、専門職後見人などを福祉の専門家である社会福祉士や精神保健福

6-11 成年後見制度を利用して問題だと思うこと

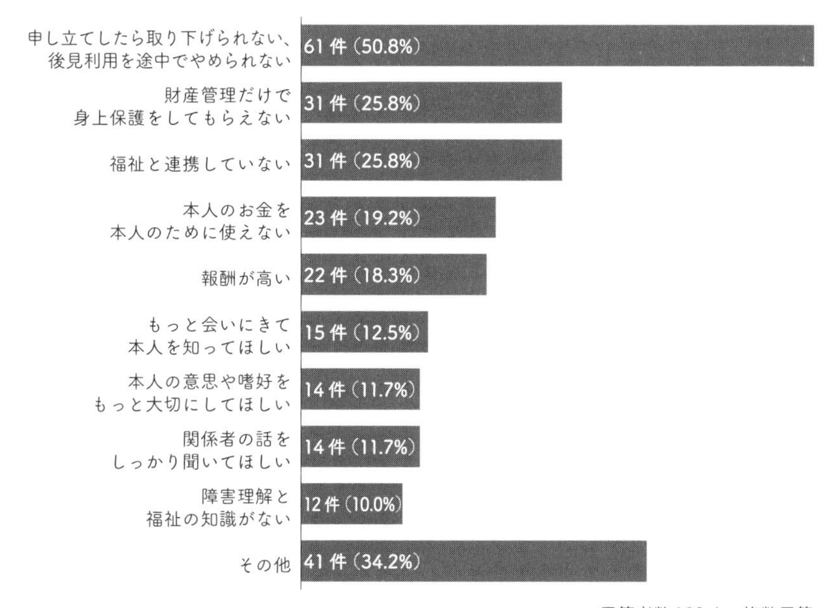

（一般社団法人全国手をつなぐ育成会連合会「成年後見制度に関するアンケート調査」2021年8月）

祉士が担えばいいかというと、それで十分というわけではありません。

反対に、福祉の専門家ではあるものの法律の専門家ではありませんので、法的なトラブルへの対応ができません。

本人と障害福祉サービス事業者との間で法的なトラブル（たとえば、グループホームから追い出されそうになったり、虐待や不適切な対応を受けたりするケースなど）が起こった場合は、福祉の専門家よりも弁護士が必要となります。

また、障害者が他人を傷つけた場合の対応、相続や遺産分割、消費者被害なども、法律の専門知識が必要になります。もっとも、成年後見人が社会福祉士などの福祉の専門家の場合、成年後見人が弁護士にトラブルの解決を依頼することができます。

このように、知的障害者が成年後見制度を利用して十分なメリットを得るには、成年後見人などには、法律及び福祉の両方の専門知識が必要となります。
成年後見人などは複数人選任することができますので、たとえば弁護士と社会福祉士の両方を成年後見人などに選任することは可能です。
ただしその場合、1人分の報酬を2人の専門職で分けるということになってしまいますから、複数選任を望む専門職は少なくなるというのが現実でしょう。

著者の場合

それではご参考までに、自分自身も成年後見や保佐人の仕事をしている私が、こうした問題点を踏まえたうえで自身の子どもに対する成年後見制度の利用をどう考えているかについて、お話ししたいと思います。
うちの子どもが成人したら、どこかのタイミングで成年後見制度の利用を申し立てるつもりです。その場合親族後見人として私は手を挙げませんから、親族以外の第三者が成年後見人などに選任されるでしょう。
私や妻が病気になったり亡くなったりした後に、うちの子どもに成年後見人をつけるのでは遅いと考えています。
第三者の専門職後見人が選任されたら、うちの子どもの障害特性・本人の好き嫌い・親の思いを成年後見人などに伝え、うちの子どもに合った職務をおこなっているかをチェックしたいと考えています。
うちの子どものためになっていないようでしたら成年後見人などに改善を求め、それがなされない場合には家庭裁判所に監督や指示をうながします。それでも改善されない場合には辞任や解任を求めて動きます。
このようなことは、私たちが元気なときでなければできません。

適切に職務をおこなってくれて、うちの子どもや家族、支援者からも信頼される人が成年後見人に選任されても大きな問題が残されています。
それは、信頼できる成年後見人がうちの子どもが亡くなる前に、引退したり亡くなったりすることです。
うちの子どもが成人する頃には、私は還暦をむかえています。遅くともうちの子どもが30歳をむかえるころまでには、成年後見人などを選任してもらわなければなりません。うちの子どもよりも若い、20代で信頼できる成年後見人を見つけるのは困難でしょうから、そのとき選任される成年後見人などは、おそらくうちの子どもよりも年上ということになるでしょう。
ステップ3で述べたように、知的障害者の平均寿命は通常よりも短いとしても、65歳ぐらいまでは生きると考えられます。そうなると、うちの子どもが亡くなる前に、うちの子どもより年上である成年後見人が病気などで辞任したり、高齢を理由に引退したり、亡くなったりすることは十分にあり得ます。
そうなると、信頼できる成年後見人などにうちの子どもが亡くなるまでサポートしてもらうためには、個人ではなく法人に成年後見人などになってもらう「法人後見」を利用することになります。法人の経営に問題がなければ、引退したり亡くなったりすることはありません。
法人後見については、このあとのコラム「法人後見はなかなか増えないのが現実です」で詳しく紹介します。

さて、長くなりましたが、以上が成年後見制度の概要でした。
成年後見制度は評判のよくない制度で、問題点ばかりがクローズアップされがちです。しかし障害者の親亡き後という観点では、完璧な制度ではないとしても必要不可欠な制度だと私は考えています。
たとえば、先ほどのアンケート調査でも問題点として挙がっていた「成年後見制度を利用すると、本人が亡くなるまで利用を止められない」ことは、本当にデメリットの側面しかないのでしょうか。
私にとってはかえって、メリットの一つになると捉えています。自分や妻が亡くなってうちの子どもに身寄りがなくなったあとも、わが子が死ぬまでのサポートをすることを法的に義務づけられている他人がいてくれているということだからです。障害のあるわが子を残して死んでいく私にとっては安心材料の一つです。

また、問題点があるのは事実であるとしても、現行の制度で成年後見制度の代わりになるようなものがないというのもまた事実です。

この現実を踏まえて、どのような制度であれば障害者やその家族にとって安心して利用できる制度になるかということを考えて、それを国や地方自治体に伝え、改善してもらうことのほうがより建設的です。

深掘りコラム

法人後見はなかなか増えないのが現実です

成年後見人には、弁護士や親族などの個人だけではなく、社会福祉協議会や社会福祉法人・NPO法人などもなれるというお話をしました。このように、個人ではなく法人が成年後見人などになることを「法人後見」といいます。

●法人後見のメリット

法人後見のメリットの1つ目は、先ほど「著者の場合」でお伝えしたとおり、個人のように引退や死亡がないということです。

もう1つのメリットは、法人というチームによるサポートが期待できるということです。

個人が成年後見人となる場合、法律の専門家であり、かつ福祉の専門家というのは、ごく少数のダブルライセンス（たとえば、弁護士と社会福祉士の両方の資格をもっている）の専門家しかいません。

また「成年後見制度利用者からの不満」のところでもふれたように、弁護士と社会福祉士の2名を成年後見人などに選任することも可能ではありますが、その場合は1人分の報酬を2人で分けることになるため、現実的には複数選任を望む専門職は少ないでしょう。

他方、法人後見の場合は同じ法人のメンバー内に弁護士と社会福祉士がそろっていれば、法律と福祉の両面でのサポートが可能になります。

また、非専門職（弁護士でも社会福祉士でもない）の従業員が通常の後見業務を担い、法律または福祉に関する専門的知見が必要な状況になったときには専門職が対応するということも可能です。

このように法律面と福祉面両方のサポートが不可欠な知的障害者の成人後見制度においては、法人後見が充実することが望ましいです。

●なぜ法人後見は増えないのか

しかし現状では、法人が成年後見人などに選任される割合は1割程度に

6-12 法人が成年後見人などに選任された割合

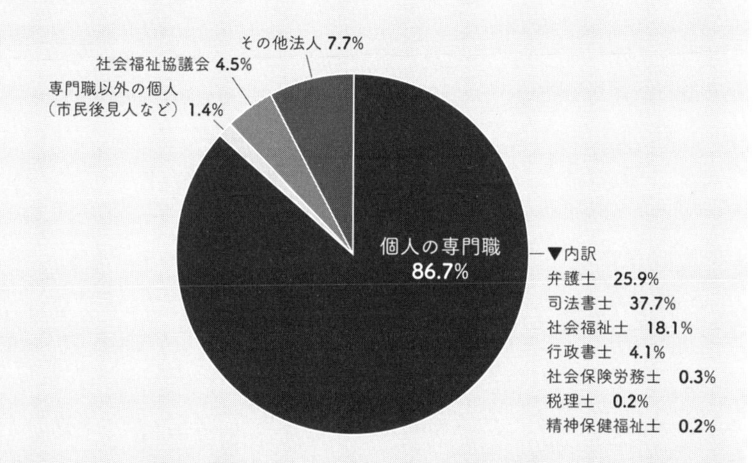

※親族以外が成年後見人などになる場合

（「成年後見関係事件の概況―令和3年1月～12月―」11ページ（資料10-1）成年後見人等と本人との関係別件数・割合）

とどまっています。たとえば、2021年の最高裁判所の統計 6-12 を見てみましょう。「社会福祉協議会」と「その他法人」を足すと合計12.2%、約1割となります。

では、なぜ法人後見の割合は増えていかないのでしょうか。

要因の一つには、法人後見事業を主要な事業とした場合、法人を安定的に経営することが容易ではないことが挙げられます。

成年後見人などへの報酬は通常、1年分をあと払いで支払います。つまり法人としては、開業前に1年分のランニングコストを用意しなければなりません。

さらに成年後見人などの報酬は、すでにお話ししたとおり1人あたり年間最低24万円です。選任の依頼が1年間に10件あったとしても、年間売り上げは240万円です。

240万円の売り上げでは、非専門職の従業員を雇えたとして1人です。専門職を雇うことはまずできません。そうなると法人後見事業の経営を安定化するためには、それ相応の件数が必要となります。

しかし、実績や信頼のない開業したばかりの法人に対して、多数の件数を監督人なしで任せるかは疑問です。もし監督人が選任されると、法人と監督人で報酬を分け合って法人の売上が下がることになります。もしくは監督人の報酬が別途必要となり、本人の財産に対する負担が増えることになります。

このように、法人後見を本業として経営を安定化するためにはさまざまなハードルがあることが参入の障壁となっていると考えられます。

では、どうすれば法人後見の担い手を増やすことができるでしょうか。私の考える案の一つは、既存の事業で経営が安定している事業者が、新規事業として法人後見を開業するということです。

後見業務と経営とを同時にこなしていかなければならない新規開業の事業者よりも、当面の経営体力がある既存の事業者のほうが開業しやすいと思います。

ほかには、法人後見の充実を推進する国のほうで特別な融資をおこなうというのも必要です。

または、どのような条件を満たしていれば監督人なしで成年後見人などに選任されるかという基準を裁判所のほうで策定して、法人後見事業をサポートしてほしいところです。

ステップ 7

親亡き後の相談先とステップの実行

ステップ1から3では障害者の親亡き後に、どれくらいのお金や資産を残せばいいかある程度の目安を立てました。ステップ4では、障害者の親亡き後のための資金や親自身の老後資金を貯める方法を検討しました。ステップ5と6では、障害者の親亡き後のための資金を残す方法やそれを適切に管理する方法についてどのようなものがあるのかを学びました。ここまでのステップは、準備段階にあたります。

最後のステップ7は、それぞれのご家庭の方針にもとづいて、障害者の親亡き後の備えについて具体的に実行に移す段階となります。

しかし、ここで残された課題があります。

それは、親亡き後の備えを考えるにあたって誰に相談すればいいかということです。

障害者の親亡き後の備えとして利用できる法制度には、障害福祉の分野だけでなく、司法に関係する分野（たとえば、ステップ6で詳しく紹介した成年後見制度など）も含まれています。しかしそれらは本書の読者にとってはなじみがあまりないものだと思います。

したがって、みなさんが実際に動き出すためには専門家への相談がどうしても必要になるでしょう。そこでこの章のはじめに、障害者の親亡き後の備えについて相談できる専門家や専門機関を紹介します。

この課題をクリアにしたうえで、いよいよ親亡き後の備えを実行に移す段階に入ります。とはいっても、障害者の親亡き後にどのように備えるかは、障害者や親の年齢・障害の種類や程度・きょうだい児の有無などの事情によってさまざまです。

そこでこの章のいちばん最後に、わが家の場合を紹介します。私と妻の亡き後についてどのようなプランを立てているか、どのような問題点があるかについてもふれますので、具体例として参考にしてもらえればと思います。

「親亡き後」を誰に相談すればいいか

障害者の親亡き後の備えは、障害福祉の分野と、法律・司法の分野の両方にまたがっています。

たとえばステップ6では、親亡き後の財産管理のサポートとして2つの制度を紹介しましたが、「日常生活支援事業」は障害福祉の分野です。一方「成年後見制度」は法律・司法の分野に入ります。

ですので、ここで取りあげる専門家や専門機関も「障害福祉分野」と「法律・司法分野」に分けて紹介します。

障害福祉の専門家や専門機関

まずは障害福祉の分野です。これらは多岐にわたるため、ここでは「社会福祉士」「精神保健福祉士」「公認心理師」の3つの国家資格と、障害に関する相談支援の中核機関である「基幹相談支援センター」について紹介します。

なお、作業療法士・理学療法士・言語聴覚士という国家資格については本書では取りあげません。これらの3つの国家資格も障害福祉分野と密接に関わりますが、あくまでも医療系の専門職であり障害福祉の専門職ではないため、障害者の親亡き後の備えを相談する専門職としては適当ではないと考えます。

社会福祉士

●概要

専門知識・技術をもって、障害や環境上の理由によって日常生活を送るのに支障がある人の福祉に関する相談に応じて、アドバイス、指導、福祉サービス関係者などの連絡調整その他の援助を仕事としている人です。

●特長

障害だけではなく、環境上の理由（たとえば、加齢や貧困など）で日常生活を送るのに支障がある人の福祉についても専門知識・技術をもっている点です。つまり、障害福祉に限らず、社会福祉についての専門家です。

●資格

福祉系の4年制大学などで専門教育を受けた人が国家試験に合格するとなることができます。

精神保健福祉士

●概要

精神障害者の保健と福祉に関する専門知識・技術をもって、精神科病院などの患者や、社会復帰のための施設の利用者に対して、地域移行などの社会復帰についての相談・アドバイス・指導・訓練などを仕事としている人です。PSW（Psychiatric Social Worker）やMHSW（Mental Health Social Worker）と呼ばれることも多いです。

●特長

精神障害者の地域移行や地域定着という社会復帰をメインの業務としているところです。社会福祉士を福祉のジェネラリスト、精神保健福祉士を精神障害のスペシャリストと呼ぶことがあります。

●資格

福祉系の4年制大学などで専門教育を受けた人が、国家試験に合格するとなることができます。社会福祉士と精神保健福祉士は国家試験の科目が共通するため、両方の国家資格をもっている人も少なくありません。

公認心理師

●概要

保健医療・福祉・教育などの分野において、心理学に関する専門知識・技術をもって、心理的アセスメント、心理に関する支援が必要な人やその関係者の相談に応じ、アドバイス・指導などの援助を仕事とする人です。

●特長

公認心理師は2015年にできた新しい国家資格です。公認心理師の国家資格ができるまでは、臨床心理士という民間資格が、心理系の専門職として知られていました。公認心理師は、社会福祉士や精神保健福祉士のような福祉の専門職というより、福祉に関わることもある心理の専門職です。

●資格

心理系の4年制の大学で専門教育を受けた後に心理系の大学院で専門教育を受けた人、または保健医療・福祉・教育などの施設に2年間以上の実務経験がある人が、国家試験に合格することでなることができます。受験資格では、社会福祉士や精神保健福祉士よりもハードルが高いことがわかります。

基幹相談支援センター

●概要

市町村における、障害に関する相談支援の中核的な役割を担う公的な機関です。

●特長

次のような業務を総合的におこなうことを目的としています。

(1) 障害者が障害福祉サービスなどを受けながら、自立した生活が送れるように、障害福祉に関する問題について、障害者、その保護者や介護者の相談に応じて、必要な情報やアドバイスなどを提供する(これを基本相談支援という)。
(2) 障害者の虐待防止・早期発見のために、関係機関との連絡調整などをおこない障害者の権利を擁護する。
(3) 成年後見制度を利用しやすくなるように、成年後見人などの報酬などの費用を助成・補助する。

すなわち基幹相談支援センターは、地域における障害福祉に関する総合相談窓口である、といっていいでしょう。

障害者をもつ家族の不満として、「障害に関する相談先は多岐にわたっていて、どこに相談していいかわからない」「相談しに行ったら、たらい回しにされた」などの声をよく聞きます。私の妻も同じようなことを言っていました。

基幹相談支援センターには、社会福祉士や精神保健福祉士も相談支援員として配置されるため、専門的な相談にも対応できます。障害者の親亡き後の備えは、複合的な課題をクリアしなければならないため、とりあえずの相談先として選ぶのであれば基幹相談支援センターが適切です。

ただし市町村に設置義務があるわけではないため、すべての市町村に基幹相談支援センターがあるわけではありません。

設立が開始されたのは2012年からですが、約10年が経過した現在でも半数程度の市町村でしか設置されていません（厚生労働省「障害者相談支援事業の実施状況等の調査結果について」令和3年3月）。私が住んでいる地域でも、つい最近設置されたばかりです。

ですので、お住まいの地域によってはこの「基幹相談支援センター」が未設置かもしれません。

未設置の地域で、障害者が在宅の場合は「計画相談支援事業者」、障害者が精神科病院に入院していたり障害者支援施設などに入所していたりする場合は「地域計画相談支援事業者」に相談してください。

両方とも、地域における障害福祉全般に関する相談（基本相談支援）をおこなっています。

障害福祉の適切な相談先は

以上が、障害福祉に関する専門家や専門機関の紹介でした。3つの国家資格についての説明はそれぞれの定義が定められている法律を参照して概要を解説しました。

では、障害者の親亡き後の備えにおける障害福祉の分野に関する相談先はどこを選べばいいでしょうか。

まずは「社会福祉士」と「精神保健福祉士」の「概要」と「特長」を把握したうえで、自分が相談したい内容はどちらの専門家に問い合わせるのがよさそうか、あたりをつけてみましょう。

相談内容に合った専門家を選ぶことができれば、適切で専門的なアドバイスをしてもらえることが期待できます。

●成年後見制度の相談をするなら

知的障害や発達障害は精神障害に含まれるので、「精神保健福祉士のほうが、より専門的なアドバイスをもらえるのでは?」と思われる方もいるかもしれません。

しかし、成年後見制度に関しては、社会福祉士のほうが精神保健福祉士よりも実務経験が豊富です。最高裁判所の最新のデータによると、社会福祉士の成年後見人等は全体の約18％。精神保健福祉士は1％未満で、市民後見人よりも少ないです（最高裁判所事務総局家庭局「成年後見関係事件の概況―令和3年1月～12月―」)。

そのため、成年後見についても相談をしたい場合には、社会福祉士のほうが実務に即したアドバイスが受けられるでしょう。

もっとも、社会福祉士も精神保健福祉士もいわゆる「フリーランス」が少なく、障害福祉サービスや相談支援事業者、精神科病院、保健所・保健センターなどに所属していることが多いのです。

そのため、社会福祉士や精神保健福祉士を自分で探して相談するというより、基幹相談支援センターや相談支援事業者に相談に行ったら、対応した相談支援員が社会福祉士や精神保健福祉士であったということも少なくないでしょう。

法律・司法の専門家や専門機関

次に、法律・司法の専門家や専門機関について紹介します。

ここでは専門家として6つの専門職と、専門機関として家庭裁判所と法テラス（日本司法支援センター）の2つを紹介します。

弁護士

弁護士とは、顧客や行政機関や裁判所などの依頼により法律事務を仕事とする人です。この説明ではわかりにくいので、障害者の親亡き後の備えに引きつけて具体例を示します。

典型的な法律事務は、裁判所での手続きを本人に代理して進めることです。たとえば成年後見制度を利用する場合、障害者本人やその家族の代わりに弁護士の名前で申立書類を書き、家庭裁判所に連絡したり出頭したりします。

また、障害者の親亡き後の備えについて相談者の事情を踏まえて、遺言・信託・生命保険・贈与のどれが適切かをアドバイスします。

さらに依頼されれば、相談内容を踏まえて遺言書のドラフト（下書き）、信託契約書や贈与契約書を弁護士が作成します。

このように弁護士は、障害者の親亡き後の備えにおける法律・司法分野全般については、相談に応じることができます。

さらに弁護士は、実際に遺言書を書くこと以外は、相談者・依頼者の代わりにおこなうことができます。

●資格

弁護士になるオーソドックスな方法は、次のとおりです。

4年制大学の卒業→法律系の専門職大学院（ロースクール）で最低2年間専門教育の履修→司法試験の合格→約1年間の裁判所、検察庁、法律事務所での実務研修と研修所での座学→最終試験の合格

司法書士

司法書士とは、依頼人の依頼により、おもに次の業務を仕事とする人です。

- 登記や供託に関する手続きの代理
- 法務局に提出する書類の作成
- 裁判所などに提出する書類の作成
- 上記の事柄に関する相談
- 簡易裁判所における訴訟の代理

「登記」とは、不動産の所有者などの情報や、株式会社などの法人の情報を法務局の登記簿に記載することをいいます。

たとえば、不動産を売却して所有者が変更された場合など情報の内容に

変更があった場合には法務局に登記申請の手続きをしなければなりません。この登記申請の手続きの代理は弁護士もできるのですが、ほとんど司法書士がおこなっていることから、司法書士は登記の専門家と言われています。
「供託」とは、法令により、法務局などにお金などを預けることです。

●資格

司法書士に受験資格はなく、司法書士試験を合格すればなれます。

行政書士

行政書士は、他人の依頼により、行政機関や裁判所などに提出する書類、契約書などの権利義務に関する書類などの作成を仕事とする人です。

行政書士は、行政機関の許認可などについての書類を作成するだけではなく、その書類の提出手続きを代理することができます。障害福祉分野ですと、障害福祉サービス事業を開業して都道府県などの指定を受けるときに、行政書士に提出書類の作成とその提出の代理を依頼することがよくあります。

また、行政書士が作成できる書類に関することであれば相談も受けられます。

●資格

行政書士に受験資格はなく、行政書士試験を合格すればなれます。

税理士

税理士は、確定申告などの税務に関する代理・税務書類の作成・税務相談を仕事とする人です。税理士は税理士業務のほかに、財務書類の作成・会計帳簿の記帳代行などの財務に関する業務をおこなうことができます。

●資格

法律学または経済学を1科目以上履修して大学を卒業した人、日商簿記1級合格者、2年以上の実務経験者などで、かつ、税理士試験を合格すればなれます。

社会保険労務士

社会保険労務士は、労働や社会保険（年金・健康保険・介護保険など）に関する申請書などの作成と提出、不服申し立ての代理などを仕事とする人です。

障害関係でいうと、障害年金の申請などでお世話になった読者もいるかもしれません。

●資格

社会保険労務士は、大学卒業または3年以上の実務経験などを満たしている者で、かつ、社会保険労務士試験を合格すればなれます。

公証人

公証人は、契約書などを公正証書にすることをおもな業務としています。

公正証書とは、準公務員である公証人が作成した文書のことです。障害者の親亡き後の備えに関係するものとしては、公正証書遺言と任意後見契約書などがあります。

●資格

これまで紹介した5つの国家資格とは違って、試験に合格して公証人になるというよりは、裁判官、検察官、法務省のキャリアが、退職後に公証人になることが多いです。

家庭裁判所

家庭裁判所は、おもに以下の3つの権限がある裁判所です。

(1) 家庭に関する事件の調停及び審判
(2) 離婚訴訟などの人事訴訟の第一審の裁判
(3) 少年保護事件の審判

障害者の親亡き後の備えについていえば、成年後見制度は (1) に含みます。被相続人が遺言書を作っておかず、遺産分割で相続人どうしが揉めている場合の法的解決も (1) に含まれます。

成年後見制度について最寄りの家庭裁判所に相談するということはあっても、障害者の親亡き後の備えについて相談する先とはいえないでしょう。

法テラス(日本司法支援センター)

法テラスのホームページ「かんたん解説『法テラス』」によると、日本全国どこでも法的なトラブルの解決に必要な情報やサービスの提供を受けられるように、2006 (平成18) 年に設立された公的な法人です。正式名称は「日本司法支援センター」といい「法テラス」は通称・愛称です。

法テラスの業務は多岐にわたりますが、障害者の親亡き後の備えという点では、以下の2つの業務が関係します。

(1) 情報提供業務

利用者からの問い合わせ内容に応じて、法制度に関する情報と、相談機関・団体等に関する情報を無料で提供する業務です。

しかし実際のところ、法テラスに連絡すれば障害者の親亡き後の備えについての情報提供を受けられるかというと疑問です。市役所や社会福祉協議会を案内されるだけで終わるのが関の山というところでしょうか。

(2) 民事法律扶助業務

他方こちらの業務はどうでしょうか。民事法律扶助とは、経済的に余裕がない方が法的にトラブルにあった時に、以下の3つの援助が受けられるというものです。

・法律相談援助

法律相談援助とは、1つのテーマについて弁護士や司法書士への30分の法律相談が3回まで無料になるというものです。無料の法律相談ができるというのは、経済的な余裕がない方にとってはありがたいことだと思います。ただし、障害者の親亡き後の備えについて、合計90分の法律相談で解決するのは難しいと思います。

・代理援助

代理援助とは、法的なトラブルにおいて弁護士・司法書士に依頼した際の費用（着手金・実費など）を立て替えてくれる制度です。法律相談援助とは異なり、代理援助はあくまでも立て替えです。

もっとも、生活保護受給者やそれに準ずる人であれば、立て替えの償還が免除され、タダで依頼できることはあります。

障害者の親亡き後の備えは「法的なトラブル」にはあたらないため、この代理援助は基本的には使えません。それ以外で、障害者やその家族が法的なトラブルに巻き込まれた場合や成年後見制度の利用を考えている場合に活用することはできます。

・書類作成援助

書類作成援助とは、裁判所提出書類の作成等における司法書士・弁護士費用（報酬・実費等）の立て替えです。

障害者の親亡き後の備えについて、裁判所に提出する書類というのは、基本的にありません。ですので、書類作成援助を活用することは難しいと思います。

以上のように、障害者の親亡き後の備えという点では、法テラスの活用はできなくはありませんが、かなり限定的と言わざるを得ません。

法律・司法の適切な相談先は

では障害者の親亡き後の備えについて、法律・司法分野の相談先はどこを選べばいいでしょうか。

まず、家庭裁判所や法テラスは先に述べたとおりの理由で適切ではありません。

また、税理士や社会保険労務士も適切とはいえません。

遺言・贈与・成年後見は「民法」という法律に規定されているのですが、税理士と社会保険労務士の試験科目に民法はないからです。つまり、税理士や社会保険労務士であるということは、民法について専門知識があることを保証するものではないということです。

税金について税理士に、障害年金について社会保険労務士に相談するのは、それらの分野の専門職なので問題はありません。しかし、民法についての専門知識が不可欠な障害者の親亡き後の備えについて、民法の専門知識が保証されているわけではない税理士と社会保険労務士に相談することは、おすすめできません。

司法試験・司法書士試験・行政書士試験の科目には民法があります。

また、公証人は司法試験合格者かそれに準ずる学識経験者から任命されています。

したがって弁護士・司法書士・行政書士・公証人は、民法について専門知識があることが保証されています。

では、障害者の親亡き後の備えについて相談する先として、この4つの専門職であればどれでも大丈夫でしょうか。

一般論としては、障害者の親亡き後の備えについて相談先として最適なのは弁護士になります。

この結論の理由について少し詳しく解説しましょう。

「親亡き後についての相談」とは何か

弁護士がベストの相談先であることを説明するには、まず「障害者の親亡き後の備えについての相談」とは、具体的にはどのような相談なのかを考えてみる必要があります。具体的には、次の3つの流れ・プロセスがあります。

(1) それぞれの家庭に適した方法を決める

本書のステップ5と6を読んで、障害者の親亡き後に向けて財産を貯める方法や、財産を管理する方法についてはいくつか手段があり、それぞれにメリットとデメリットがあることはわかったと思います。

しかし本書を読んだだけでは、読者ご自身の家庭においてはどうすればいいかわからないという方が少なくないでしょう。たとえば、ステップ5で紹介した「遺言」「信託」「生命保険」「贈与」「障害者扶養共済」も、説明はわかったけれどどれを選ぶのがベストかはわからない、という方がいて当然だと思います。

親御さんの思いや、障害の程度、きょうだい児の協力の有無などさまざまな事情を考慮して、この5つの方法のうち必要なものを選び出す必要があります。

方法が1つで十分だという家庭はさほど多くはなく、複数の方法を併用するほうが適切であるという家庭がほとんどではないかと思います。

そして、複数の方法を用いるということはそれだけ多くの専門知識が必要になるということです。

この (1) のプロセスについて相談を受け、アドバイスをすることが法令上明確に認められているのは弁護士だけです。

（2）契約書などの原案を代わりに作成する

利用する方法が決まったら、遺言書・信託契約書・贈与契約書などの原案を作ります。

（3）正式な文書を作成する

原案が完成したらそれを正式な文書にします。

（2）と（3）は弁護士はもちろん、司法書士や行政書士もおこなうことができます。

しかしながら、一般論としては弁護士が適切な相談先であるとしても、では実際に障害者の親亡き後の備えについて適切なアドバイスができる弁護士が日本全国どこにでもいるかと聞かれたら、残念ながらノーと言わざるを得ません。

私自身、子どもに障害があることがわかってはじめて、障害者の親亡き後の備えや障害福祉について毎日のように勉強や調査をしたので、本書を出せるだけの専門知識を備えることができました。

しかし、勉強や調査をする前の私が、障害者の親亡き後の備えについて相談を受けても適切なアドバイスはできなかったと思います。

読者のお住まいの地域に障害者の親亡き後の備えや障害福祉に精通している弁護士がいるとは限りません。そのため相談したくても、相談できる弁護士がいないということもあるかと思います。

その場合は「メインで受け付けている相談が障害福祉サービスや成年後見など、障害者の親亡き後に関わりのありそうな人」を優先条件として、弁護士だけでなく司法書士や行政書士にも範囲を広げて相談先を探すことになるでしょう。

ステップ1～6の実行

親亡き後の備えを誰に相談すればいいかがクリアになったところで、いよいよステップ1～6の実行に入りましょう。この章では参考例として、私自身がどのような準備・プランを立てているかを紹介します。

また、本書ではここまでにも「著者の場合」として部分的にわが家のケースを紹介してきましたが、復習も含めて、各ステップの考え方をわが家の場合に落とし込むとどうなるかをあらためて検討してみます。

著者の場合

我が家の家族構成は次のとおりです。

・父……49歳、個人事業主
・母……45歳、専業主婦
・子……7歳、重度知的障害、一人っ子
・地域……埼玉県さいたま市と仮定
・住まい……一戸建てを所有

ステップ1　収入の予測をする

うちの子どもの将来の収入源としては、以下が考えられます。

●障害基礎年金1級（月額約8万2,000円）

わが子は重度知的障害であることと、現在は保護者である私が特別児童扶養手当1級を受給していることから、1級の障害基礎年金を受給できると予測できます。

●在宅重度障害者手当（月額5,000円）

現在も、住んでいる地方自治体からこの手当を受給しています。障害者支援施設への入所を予定していないので、今後も受給できるでしょう。

●特別障害者手当

ステップ1で書いたように、私の子どもが成人した後この手当が受給できるかどうかは不明なため、現時点では考慮しません。

●就労による収入

現時点では障害者雇用は難しいとして考慮しません。日中の通所先として就労継続支援B型か生活介護が考えられます。そこで工賃を得られるかもしれませんが、生活介護の工賃はわずかなので、ここでは考慮しません。以上のことから、うちの子どもの収入は「月額8万7,000円」と仮定します。

ステップ2　支出の予測をする

次に支出の予測ですが、支出がいくらになるかは「どこに住むか」と「生活水準」のかけ合わせによって大きく変わるという話をしました。

うちの子どもの生活の場所としては、私が残す自宅不動産に一人暮らしをすることを親である私としては希望しています。ただし本人の希望や障害特性、障害福祉サービスの供給不足などもありますから、実際には一人暮らしは難しいかもしれません。

しかし、それらがどうなるかも現状では予測困難です。また一人暮らしは、障害者支援施設やグループホームで生活する場合と比較して支出が多いので、支出を多めに想定しておいても特に問題はありません。ですので、ここでは一人暮らしを前提に支出予測をします。

次に生活水準です。ステップ2でもふれたように障害者の一人暮らしの平均支出は不明ですので、ここでは生活保護における最低生活費程度の支出があるとして考えることにします。

ステップ3で紹介した通り、埼玉県さいたま市の場合、「持ち家×最低生活費」で暮らす場合の支出の予測は10万3,000円です。ちなみに、なぜこの金額になるかを復習したい方は、ステップ3「生活水準と住まいをかけ合わせる」の「持ち家の場合」を読み返してください。

ここでは計算しやすいように、10万5,000円としておきます。

ステップ3　親亡き後に残す金額を計算する

親亡き後に、障害のある子どもが生きていくうえで困らない程度に必要な費用の目安は、次の式で計算できました。

（②子の支出月額－①子の収入月額）×12〔か月〕
×③親亡き後の期間〔年〕＝親亡き後に残す資金

わが家のケースは、次のようになります。

①8万7,000円
②10万5,000円
③20年

これもステップ3の復習ですが、③の年数は両親のうち平均余命が長いほうから、子の余命を引いて求めます。

わが家の場合は、妻の平均余命は43年。子の余命は、知的障害者や精神障害者の余命の平均とされている70歳とすると63年です。63年－43年で、20年となります。

それでは、上の数字を計算式にあてはめてみましょう。

（①10万5,000円－②8万7,000円）×12か月×③20年
＝432万円

もし、①の収入額の中の「障害基礎年金」を2級と判定されてしまい、月額6万6,000円に支給額が下がってしまった場合は次のようになります。

（①10万5,000円－②7万1,000円）×12か月×③20年＝816万円

障害をもつわが子が小さいうちからコツコツ貯めれば、貯められない金額ではないかと思います。

もっとも障害のある子どもがここで予測した余命よりも長生きする、または親が平均余命よりも先に亡くなってしまう可能性はあります。また臨時の出費もないわけではないので、これだけで十分とはいえないかもしれません。

ですが具体的な金額が定まらないと、ステップ5でどのように資金を蓄えるかについての検討がしにくくなります。この金額はあくまでも目安・当面の目標ぐらいと捉えてください。

ステップ4　親自身の老後資金をどう貯めるか決める

私たち夫婦の老後資金は、以下で作ることにしています。「小規模企業共済」と「iDeCo」はステップ4で詳しく紹介しました。所得控除の中でも最も重要な控除である「小規模企業共済等掛金控除」に該当します。

●小規模企業共済

私は個人事業主であるため、小規模企業共済に加入することができます。

●iDeCo

こちらは個人で加入できます。小規模企業共済等掛金控除のうちの一つです。

●つみたてNISA

NISAとは、株式や投資信託などを対象とした少額投資の非課税制度の愛称です。NISAを活用すると、毎年一定金額の範囲内で購入した株式や投資信託から得られる利益が非課税となります。NISAには一般、つみたて、ジュニアがあり、その中の長期積立てのつみたてNISAで資産形成をしています。なお、2024年から新NISAが始まります。

老後資金が余った場合はうちの子どもが相続します。そのお金を使えば、親亡き後の想定外な高額な出費にも対応できるのではないかと考えています。

ステップ5　親亡き後の資金をどう残すか決める

わが家のプランでは、次の2つが柱となっています。

●自宅不動産を残す

こちらについては、住宅ローンをコツコツ返していくことになります。

住宅ローンの支払いは「団体信用保険」に加入しています。これはどんな保険かというと、住宅ローンが完済する前に住宅ローンの債務者（わが家の場合は私）が亡くなった場合、団体信用保険の死亡保険金で残りの住宅ローンが完済される生命保険のことです。

●500 ～ 900万円を残す

費用には「障害者扶養共済」の年金を充てます。

ステップ5でもお話ししたとおり、私は障害者扶養共済に2口加入していますので、私が他界した後から子どもが死ぬまで毎月4万円の年金がうちの子どもに支払われます。

先ほど確認したようにうちの子の「支出」と「収入」の差は4万円未満ですので、障害者扶養共済の年金で最低限必要なお金はまかなえることになります。

「団体信用保険」と「障害者扶養共済」に加入しているため、もし私が予定（平均余命）より大幅に早く死んだとしても、上記のプランどおりにいくことになります。なお、私が早逝する場合に備えて定期保険にも加入しています。

定期保険とは生命保険の一つです。一家の大黒柱の早逝に備えるための生命保険です。一定期間内に被保険者である一家の大黒柱が死亡・重度の障害を負った場合に、数千万円の生命保険金が支払われます。なお、保険料は掛け捨てです。

したがってステップ5の結論としては、障害者扶養共済にはすでに加入済みですので、掛金を毎月支払い続けるだけです。

ただ、ステップ5の161ページ「障害者扶養共済のメリット⑦」で紹介した、障害をもつ本人に代わって年金を受け取って管理する「年金管理者」の指定がまだできていないので、妻を年金管理者とする届出をあらかじめしておかなければなりません。

ステップ6　親亡き後の資産をどう管理するか決める

親亡き後の資産は、以下の方法で管理したいと考えています。

・遺言書を残す
・成年後見人をつける

●遺言書には何を書くか

私が残す遺言は、以下のようなシンプルな内容を考えています。

(1) 全財産を配偶者に相続させる
(2) 遺言執行者を配偶者（または信頼できる弁護士）に指定する
(3) わが子の死後、自宅は障害福祉関係の事業者に渡す

ただ、(1) はステップ5「相続の基礎知識」で解説したように、うちの子どもの遺留分を侵害するものです。私が死んだときにうちの子どもに成年後見人が選任されていたら、妻は遺留分侵害請求をされるでしょう。そのことは妻に事前に伝えておきます。

また (3) についてですが、私の自宅についてはうちの子どもが亡くなった後、国に持っていかれるのではなく障害福祉関係の事業者に渡したいと思っています。

これは「信託」や「負担付き死因贈与」を利用することでも実現可能ですが、現状は適切な受託者・負担付き死因受贈者がいません。

(3) を除いた内容をまとめた自筆証書遺言をすでに作成し、最寄りの法務局で保管してもらっています。このように親の財産の残し方と管理の仕方については、完璧ではないもののプランは完成しています。

残された問題は成年後見、そして資産管理の話からは逸れてしまいますが、一人暮らしへのチャレンジです。

●成年後見人をどのタイミングでつけるか

うちの子どもが20代のうちに成年後見人をつけてもらいます。

成年後見人の働きぶりを監視したり、うちの子どもの成年後見人として知っておいてほしい情報を積極的に提供したりする中で、信頼できる成年後見人かを見定めるつもりです。不適格な成年後見人であれば家庭裁判所にクレームを入れて、指導監督をしてもらいます。

ただし、ステップ6の「著者の場合」でお話ししたように、うちの子どもが20代のうちに成年後見人をつけるとなると、どんなに若くてもうちの子どもより10歳以上は年上の成年後見人になってしまいます。

そうだとすると、どんなに信頼できる成年後見人であったとしても、う

ちの子どもが亡くなる前に引退または死亡すると予想されます。

そうなるとお願いしたいのは、やはりステップ6でお話しした「法人後見」です。
しかし今現在、うちの子どもの成年後見人になってくれる信頼できる法人のあてがありません。うちの子どもが20代になるころには、法人後見が増えて、信頼できる法人が見つかるかもしれません。しかし、将来そのようになるかどうか、今の時点ではわかりません。

以上のようにステップ6については、私の財産を残し、管理するプランはほぼ固まっています。
しかし、うちの子どもの成年後見人になってくれる法人後見のあてはまったくない状況です。この先もその状況が変わらないのであれば、自分で法人後見事業をおこなう法人を作ることも考えています。

●一人暮らしへのチャレンジ

資産管理の話とは別の問題になりますが、我が家の検討すべき課題の一つですので、ここに挙げておきます。
うちの子どもが特別支援学校を卒業したら、親からの自立に向けて実際に動き出す予定です。わが子は重度知的障害児なので、親からの自立開始時点で成年後見人を選任してもらう予定です。
自宅での一人暮らしを開始する点で検討すべきは、親の転居先の確保と、訪問系の障害福祉サービスを確保して一人暮らしができるかどうかということです。

親の転居先の確保としては、現在の自宅の近所に夫婦2人で十分な広さの部屋を借りるなり、中古で不動産を購入するなり、ということになるでしょう。
ステップ4の「親自身の老後資金」はこの点も考慮して資産形成する必要があります。

問題なのは、自宅で一人暮らしをするために必要な訪問系の障害福祉サービスを確保できるかです。確保できない場合は親がヘルパーの代わりになるか、障害者総合支援法を利用せずに直接ヘルパーを雇用するかなどで対応することになるでしょう。

これらについては、現状としてどうするのが適切かはわからないので、今後も情報収集をしていく必要があります。

なお、障害者の一人暮らしや介護サービスについてはこのあとの終章にまとめています。一人暮らしをする先としてはどんな住まいが考えられるのか、どんな介護のサポートが受けられるのかを知りたい方は、ぜひご覧ください。

終章

障害のある子どもの自立に向けて

本書の最後に、障害者の自立を支える「就労の支援」「住まいの支援」と、「死後事務」を取り上げます。

この本のまえがきでもお話ししたように「親亡き後を考える」ということは、すなわち「障害のある子どもの自立を考える」ということです。さらにいうならばそれは、子は子の、親は親の人生を生きることにつながります。

目の前に障害のある子どもがいて、日一日を必死に過ごしながらお子さんと向き合っている読者の中には、「うちの子どもが自立？ そんなの、無理！」と思われる方もいるでしょう。私自身、重度知的障害のある子どもの父親ですからその気持ちはとてもよくわかります。

ですが、だとすると私たちはいったいいつまで障害者の親として、障害のある子どもの面倒を見ていかなければならないのでしょうか。もちろん、わが子のことはこのうえなく大切です。しかしその気持ちと、私たちが70歳をむかえても80歳をすぎても障害者の親の立場を強いられることとは、まったく関係がありません。

それに親の人生が有限である以上、いつか必ず親離れ・子離れの日はやってきます。だったら、親が生きているうちに子どもの自立を考えることは、むしろ親亡き後も不便なく生きていけるために、親がわが子にしてあげられる最大のサポートだと思うのです。

そのために活用できる支援やサービスには現状どのようなものがあるの

かを取り上げながら、将来のわが子の自立について、この章で少しずつ、一緒に考えていきましょう。章の最後では、親自身や障害のある子の死後の手続きをどうするかについても解説します。

就労の支援

福祉的就労ではどんな支援が受けられるのか

ステップ1で、障害者の働き方には「障害者雇用」「福祉的就労」「一般就労」の3つがあると紹介しました。ここで詳しく取り上げるのは「福祉的就労」についてです。

●福祉的就労とは何か

復習を兼ねて、ステップ1でお話しした内容をもう一度書いておきましょう。

まず「福祉的就労」には明確な定義はありません。本書では、障害者総合支援法が定める次のような障害福祉サービスを受けながら働くこととします。

- ・就労移行支援
- ・就労継続支援A型
- ・就労継続支援B型
- ・就労定着支援

では、これらの支援はそれぞれどのようなものなのかを解説していきましょう。

就労移行支援

「就労移行支援」とは、就労を希望する障害者に対して必要な訓練や支援を提供する障害福祉サービスです。

●該当者

就労を希望している65歳未満で、通常の職場での雇用が見込まれる障害者

●支援の期間

原則2年間

就労の見込みがあれば延長されることはありますが、利用者の90%以上は、利用期間が2年未満です（東京都福祉保健局「就労移行等実態調査 結果概要（速報値） 令和2年度」3ページ）。

●支援の内容

・生産活動、職場体験その他の活動の機会の提供
・就労に必要な知識と能力の向上に必要な訓練（通勤の訓練も含む）
・求職活動の支援（ハローワークへの登録など）
・障害特性に応じた職場開拓
・職場への定着に必要な相談（就職後6か月以上）

●支援者

就労移行支援サービスを実際に提供してくれる支援者は、次のとおりです。

・職業指導員（生産活動の実施など）
・生活支援員（健康管理の指導や相談など）
・就労支援員（職場探し、職場体験の指導、就職後のサポートなど）

・サービス管理責任者（個別支援計画の作成など）

就労移行支援でいちばん気になるのは就職率（就労移行率）です。近年のデータによると、就職率は40%前後。就労移行支援を経て就職した障害者の障害種別を見ると、精神障害がやや多いという傾向はありますが、大きな違いはありません。

ただし、2018（平成30）年以降、就労し定着した利用者が多い就労移行支援事業者に支払われる報酬が増えるようになったことから、今後は就職率が上昇していくかもしれません。

就労継続支援（A型・B型）

「就労継続支援」とは、通常の職場で雇用されることが難しい障害者に対して、就労の機会と就労に必要な訓練を提供するサービスです。A型とB型の2種類があります。

A型

●雇用形態

就労継続支援A型事業者と障害者の間で、雇用契約を結んだうえで就労の機会を提供します。

雇用契約を結ぶということは、利用者は、不当な解雇が認められないなど労働者として保護されることを意味します。

また、継続勤務年数によっては有給休暇を取得できますし、労働保険（労災保険と雇用保険）や、勤務時間が週20時間以上などの要件を満たせば、健康保険や厚生年金にも加入できます。

●支払い

雇用契約を結びますので、労働の対価として賃金・給料をもらいます。ですので、原則として最低賃金法により最低賃金以上の賃金がもらえます。

ただし、労働局の許可があれば、障害によって著しく労働能力の低い人の賃金は、通常の最低賃金よりも下回ることがありますので注意が必要です。

一般就労が難しい障害者にとって就労継続支援A型は魅力的であるといえるでしょう。

B型

●雇用形態

雇用契約を結ばずに就労の機会を提供しますので、A型のようなメリットを受けることはできません。

●支払い

労働の対価としての賃金ではなく、工賃をもらいます。工賃の額は、生産活動（パンや弁当作り、清掃など）による収入から、生産活動の必要経費を引いた額となり、一か月あたりの工賃の平均額は3,000円以上と決まっています。

A型・B型共通

●該当者

通常の職場で雇用されることが難しい障害者

●支援の期間

「就労移行支援」とは異なり、サービスが受けられる期間に制限はありません。相性のいい事業所が見つかれば、長期間就労をすることができます。

●支援の内容

就労の機会を提供するとともに、生産活動その他の活動の機会の提供を通じて、その知識及び能力の向上のために必要な訓練・その他の必要な支援をすること。具体的には、実習先の確保・求職活動の支援・職場への定着の支援などです。ただし、これらの支援は必ずしなければならないものではありません。

●支援者

・職業指導員（生産活動の実施など）
・生活支援員（健康管理の指導や相談など）
・サービス管理責任者（個別支援計画の作成など）

就労支援員の配置がないことが「就労移行支援」との違いです。

なお、生活介護事業所でも生産活動の機会の提供をおこなっているため、工賃の支払いがあります。ただし、生活介護については、平均工賃についての決まりはありません。

就労定着支援

「就労定着支援」とは、障害者雇用で就労するための訓練をおこなうわけでも、雇用の機会を与えるわけでもなく、あくまで一般就労の定着を支援するサービスです。

そのため「福祉的就労」といえるかどうかわかりませんが、就労支援の一つではあるため、ここで紹介しておきます。

就労定着支援とは「就労移行支援」や「就労継続支援」などを受けて、通常の職場に雇用された障害者に対して、就労が定着するように、職場、本人が利用している障害福祉サービス事業者、病院などとの連絡調整、相談などの支援を提供するサービスです。

就労定着支援は、3年間受けることができます。ただし、1年ごとにサービスを受け続けられるかどうかの決定を受ける必要があります。

就労定着支援は、就労定着支援員と個別支援計画を作成するサービス管理責任者によって提供されます。具体的には、月1回以上利用者と対面で会うこと、月1回以上職場訪問をして利用者の職場での状況を把握することが求められています。

住まいの支援

続いて住まいの支援です。ステップ2で紹介したように、障害者の住まいの代表例としては、次の3つがあります。

・障害者支援施設
・グループホーム
・一人暮らし

費用面については「支出の予測」に必要でしたのでステップ2で解説しました。本章では、施設やグループホームの規模や定員、一人暮らしをする場合に借りられる賃貸物件にはどのようなものがあるのかについて1つずつ紹介していきましょう。

障害者支援施設

障害者支援施設の概要

以下でお話しする施設の概要は、厚生労働省の「平成30年度　障害者支援施設のあり方に関する実態調査（以下「実態調査」）」を参照しました。「※10ページ」というふうにページ数が示してあるものは「実態調査」の該当ページ数を示したものです。

元の資料には、ここで紹介している概要以外にも、看護職員の夜勤体制や事故・安全管理の状況などの多くのデータが掲載されています。「障害者支援施設　実態調査」と検索すると出てきますので、関心のある方はご覧になってみてください。

●経営主体

障害者支援施設は、国・都道府県・市町村・社会福祉法人などが設置運営することができます。これは「障害者総合支援法」という法律の83条で定められています。

現状、経営主体は約97%が社会福祉法人で、公立の障害者支援施設はわずかです（※10ページ）。

●数

2018年時点で、日本全国で約2,500

●設備と運営

障害者支援施設の設備と運営の基準は、都道府県（政令指定都市なども含む）が条例で定めることになっています。国が定める最低基準には従っているものの、地域の実情に応じて、基準が異なることもあります。

以下で紹介する「定員」「スタッフの配置」はこの、指定障害者支援施設の基準で定められている内容です。

●施設の定員

施設の規模（定員）については国の基準によると、原則として30人以上となっています。

「実態調査」によると、実際は以下のようになっています。

・定員の平均……約54人（※11ページ）

・実際の入所者の数……平均52人で、そのうち約70%が知的障害者

（※17ページ）

●居室の定員

障害者が実際に寝起きする居室については、国の基準は4人以下となっています。

・トイレや洗面所……居室のある階ごとに設置。各居室に1つという基準にはなっていません
・浴室……利用者の特性に応じて設置
・食堂……食事の提供に支障がない広さが必要

もっとも、これは備えなければならない最低基準であって、実際には国の基準よりもよい設備の障害者支援施設は少なくないようです。特に比較的新しい施設や建て替えをした施設では、トイレ付きの個室を備えているところも増えてきているようです。

●スタッフの配置

昼間に生活介護を提供している障害者支援施設の場合は、以下のスタッフを置くことが求められています。

・施設長　※必須
・医師
・看護職員　※必須
・理学療法士または作業療法士
・生活支援員（利用者のケアをメインでおこなう人）※必須
・サービス管理責任者　※必須

実際の配置状況は、以下のとおりです。

・医師は非常勤（※15ページ）。

・生活支援員等は、常勤専従のスタッフの数は平均22人。生活支援員等の中に社会福祉士、介護福祉士、精神保健福祉士の資格をもっている人も一定数いる（※14ページ）。

障害者支援施設に入所するには

障害者支援施設への入所については、都道府県が中心となって、円滑で公正な入所調整をおこなっているところもあります。入所調整をおこなっている地方自治体は、入所調整のための要綱を作っています。群馬県の「施設入所支援に関する入所調整要領」を例に、入所までの流れを紹介します。

入所希望者は、施設見学後に、市区町村に対して入所申込書を提出する。

↓

入所を希望する施設に空きがない場合、市町村は入所調整依頼書を入所調整委員会に提出する。

↓

入所調整委員会は、毎月1日時点の待機者名簿を作成し、施設と市町村などに情報提供する。

↓

施設に空きが生じた場合、施設は待機名簿の最上位の人から順に連絡をして、入所者を決める。

これが通常の流れとなります。

ただし、保護者等の介護者の死亡・長期入院、虐待、介護能力の限界に達したときはその緊急性を考慮して、入所調整委員会は待機者名簿の調整をおこないます。

入所調整をおこなっている地方自治体では待機者数を明らかにしているところもあります。たとえば、広島県は、2023年4月1日現在、定員

3,182人に対して、待機者数は1,716人です。

なお、待機者には、複数の施設に重複して登録している人や将来的な入所に備えて登録している人も含まれています。

グループホーム

グループホームの概要

●設置場所の条件

グループホームは、住宅地か、住宅地と同じ程度に利用者の家族や地域住民と交流ができる場所で、障害者支援施設や病院の敷地外であることが求められています。

●施設の定員

グループホームの入居定員は、原則として10人以下です。利用者の部屋は原則個室で、収納部分を除いて、4畳以上の広さとなっています。

●利用できる人

障害支援区分1から6に該当する人、障害支援区分に該当しない人であっても、グループホームを利用することはできます。障害支援区分とは、障害の特性や状態によって必要とされる支援の程度のことで、区分1から6と非該当があります。区分の数字が大きくなるほど必要とされる支援の程度が高くなります。原則として、障害者総合支援法による障害福祉サービスを利用する際に、市町村に障害支援区分の認定をしてもらう必要があります。

年齢については、18歳以上が原則ですが、15歳以上18歳未満であっても、特別に利用が認められることがあります。

●スタッフの配置

利用者の援助を実際におこなうグループホームのスタッフ・職員にはどのような人がいるのか、役割と合わせて見てみましょう。

・世話人

食事の提供、掃除、洗濯、金銭管理などの援助、日常生活上の相談やアドバイスなどを担当します。

・生活支援員

食事、入浴、トイレなどの介護・介助をおこないます。障害支援区分3以上の利用者がいる場合には、生活支援員が配置されていることがあります。

・サービス管理責任者

利用者に対するアセスメントをおこなったうえで、共同生活援助計画を作成します。計画作成後は、計画の進捗状況をモニタリングして、必要とあれば計画を修正します。世話人や生活支援員の指導もおこなうので、グループホームの現場責任者という位置づけでしょうか。原則5年以上の実務経験と、専門の研修を修了していることが資格要件となっています。

・管理者

グループホーム全体の管理業務を担う人です。

この中で資格要件があるのは「サービス管理責任者」のみです。そのほかについては特になるための資格はありません。

グループホームは全部で3種類

ここまでの説明は「介護サービス包括型」と呼ばれるグループホームに

ついてのものです。

グループホームには、介護サービス包括型を含めて3つの種類があります。ほかの2種類についても、ここで概要を紹介しておきましょう。

●日中サービス支援型

日中サービス支援型とは、障害の程度が重く、日中も常時介護が必要な人に対する常時の支援体制が確保されているグループホームのことです。

2018（平成30）年4月に新設されたこともあり数は少なく、利用者は約2,000人。介護サービス包括型の利用者が約11万人ですので、日中サービス支援型の利用者は約50分の1です。

●外部サービス利用型

外部サービス利用型は、食事・入浴・トイレなどの介助についてはグループホームではおこなわずに、外部の居宅介護事業者に委託しているグループホームのことです。

介護や介助についてはグループホームでおこなわないため、生活支援員の配置は求められていません。外部サービス利用型は、比較的軽度の障害者向けのグループホームです。

一人暮らし

一人暮らしは、まず大きく分けて持ち家の場合と賃貸住宅の場合があり、賃貸住宅はさらに公営住宅・UR賃貸住宅・一般賃貸の3つに分類できるというお話をしました。

では、それら3つの賃貸住宅はどんな特長があるのでしょうか。ここではそれぞれのメリット・デメリットや、そもそも障害者の一人暮らしは可能なのかということについて詳しく解説していきます。

公営住宅のメリット

●家賃が安い

公営住宅とは地方自治体が提供する、所得が少ない人向けの賃貸住宅のことです。

公営住宅は「公営住宅法」という法律を根拠とするものですが、入居資格・入居者の募集や選考・賃料の額・敷金の要否などの詳細は、それぞれの地方自治体が条例などによって決めています。

地域によって詳細は異なりますが、そもそもが所得が少ない人向けの住宅ですので、そのような人でも支払えるよう、家賃は一般住宅の3分の1程度に低く設定されています。さらに入居者の所得によって家賃の価格が変動するという柔軟さも特徴です。

公営住宅のおもな入居資格を紹介します。

入居資格①所得が少ないこと

所得が少ないことが入居資格となっていることが公営住宅の最大の特徴です。ステップ1で紹介したように、フルタイムで働くことが難しい障害者は障害基礎年金が収入の中心となりますので、多くの公営住宅の入居資格を満たすことになるでしょう。

入居資格②現在、住宅に困っていること

入居希望者が住宅を所有していたり、すでに公営住宅などの公的な住宅に住んでいたりする場合には、原則として公営住宅に入居できません。

入居資格③原則として、同居する親族がいること

かつては全国一律の規定として、原則、家族と同居することが公営住宅の入居資格として定められていました。現在はこの規定は削除され、各自治体の条例で入居資格を定めることとなっています。しかし、実質的には同居家族の存在を入居資格として求める自治体が多いようです。もっとも

単身者向けの公営住宅もあるため、障害者が一人暮らしをすることはできます。

公営住宅のデメリット

●すぐに入居できるわけではない

公営住宅は公募式です。年に数回募集期間が設けられ、その期間中に入居申し込みをし、抽選で当選した場合にのみ入居できます。つまり、希望すればすぐに入居できるというわけではないのです。

●倍率が高い

国土交通省によれば、2017年（平成29年）の公営住宅の応募倍率は、全国平均が3.8倍、東京で20倍です。

ただし、障害者・高齢者・ひとり親世帯など、特に居住の安定確保が必要な人に対しては入居募集・選考において優先的に取り扱うことが可能です。これを優先入居といいます。優先入居の方式としてはおもに次の3つがあります。

優先入居の方法①倍率優遇方式

優先入居対象者の当選率を優遇する方式です。たとえば優先入居対象者には抽選番号を2つ割り当てるなど、抽選番号が1つの入居希望者よりも当選しやすくします。

優先入居の方法②戸数枠設定方式

募集をおこなう戸数の中に、優先入居対象者のみが入居できる戸数を設定する方式です。

優先入居の方法③ポイント方式

住宅に困っている度合いを、障害の有無や程度・子どもの年齢などの事情にもとづいてポイントで評価し、合計ポイントが高い順に選考する方式です。

（国土交通省ホームページ「公営住宅の優先入居について」）

UR賃貸住宅のメリット

●初期費用が抑えられる

UR賃貸住宅とは、独立行政法人都市再生機構（UR都市機構）が提供する公的な賃貸住宅のことです。特長は、敷金礼金・仲介手数料・保証人・更新料がないことです。そのため一般の賃貸住宅と比べると初期費用が低く抑えられます。

●保証人が不要

保証人をつけることができない身寄りのない人でも入居できます。

UR賃貸住宅のデメリット

●家賃が特別安いわけではない

UR賃貸住宅の家賃については、近隣地域の同種の民間住宅の家賃とのバランスを崩さないように定めなければならないと法律で規定されています。したがって、一般賃貸と比べて特別家賃が安いということはありません。

●入居資格が厳しい

UR賃貸住宅は、すでに紹介したように敷金や保証人が不要です。敷金がなく、保証人がいないということは、仮に入居者が家賃を支払えない場合、UR賃貸住宅の管理をおこなうUR都市機構は、預かっている敷金を家賃の滞納分に充てることができませんし、保証人に代わりに支払うように求めることもできないということです。

そのためか、UR賃貸住宅の入居資格は一般賃貸に比べて厳しいのです。単身で申し込む場合は「家賃が6万2,500円未満の場合、平均月収は家賃の4倍以上でなければならない」という条件があります。つまり、家賃が5万円の物件の場合なら、平均月収が20万円以上でなければならないということです。

この基準によれば、障害基礎年金が収入の中心である障害者は、申込資格がないことを意味します。

もっとも、UR賃貸住宅は公的な賃貸住宅に位置づけられるため、障害者・高齢者・ひとり親家庭・学生については収入基準を緩和しています。

関心のある方は「UR賃貸住宅の収入緩和要件」（巻末資料8-1　324ページ）をご覧ください。

一般賃貸のメリット

●選択肢が豊富

当然のことではありますが、公営住宅やUR賃貸住宅と比べて圧倒的に数が多いため、選択肢が豊富です。

一般賃貸のデメリット

●障害者は入居を断られる可能性がある

一般の賃貸住宅は、大家さんと部屋を借りる人が賃貸借契約を結ぶ必要があります。そのため、障害者に対して部屋を貸したくないと思っている大家さんですと、障害者にとって住みやすい部屋や地域であったとしても、住むことはできません。高齢者や障害者の入居を好まない大家さんも少なくないというのが実情でしょう。

いずれの賃貸住宅で生活をする場合も、一人暮らしをサポートしてくれる公的な支援制度を受けられます。また、障害者の部屋探しをサポートしてくれる制度もあります。このあとの項「部屋探しのサポート」をご覧ください。

将来の心配のない暮らし方はあるのか

ステップ2でふれたように、障害者支援施設の場合は入所さえできれば、ほとんどの利用者が障害基礎年金の範囲内で生活できていますから、障害者の親としてはわが子の経済面への不安は大幅に軽減されるでしょう。

ただし、親や家族としては障害者支援施設を終のすみかと捉えていても、さまざまな事情で退所を余儀なくされることがあるかもしれません。

グループホームにしても障害者支援施設にしても、障害者の生活の場を障害福祉事業者に丸投げするということは、利用者である障害者やその家族の意思に反して生活の場が失われるリスクがあるということです。

もちろん賃貸住宅に一人暮らしをする場合も、大家の都合で住み慣れた家から出ていくことがあり得る点では共通しています。このように考えると、どの暮らし方を選んだとしても「入居してしまえば安泰」ということはありません。

それに対して、持ち家の場合は、退去を迫られることは通常ありませんので、終のすみかとしては最も安定しているといえます。

部屋探しのサポート

障害者が一人暮らしをする上で最初のハードルとなるのが、賃貸住宅をどのようにして見つけるかという点です。

ただでさえ、日常生活を送るのに援助を受けている障害者が、一人暮らしをする部屋を自力で探すことは簡単ではありません。そのうえ、障害者であることを理由に入居を拒否する賃貸住宅のオーナーは、現在でも少なくないのです。

2017年のあるインターネット調査によると、約3割の回答者が障害を理由に「入居拒否」や「立ち退き要求」を受けた経験があるそうです。

障害を理由に入居拒否をすることは、障害者差別解消法が定める不当な差別にあたることは明らかです。しかしこのような現状がすぐに変わるわけではありませんので、現状を踏まえて部屋を探さなければならないのが現実です。

そこで、少しでも障害者の部屋探しのハードルが下がるように、サポートしてくれる制度があります。代表的なものは「住宅入居等支援事業（居住サポート事業）」と「住宅セーフティーネット制度」の2つです。

住宅入居等支援事業

「居住サポート事業」とも呼ばれていて、障害者総合支援法77条9項3号に定められている、市町村の地域生活支援事業の一つです。

●誰が利用できるか

公営住宅や民間の賃貸住宅への入居を希望していても、保証人がいないなどの理由で入居が困難な障害者が利用することができます。

●実施しているのはどこか

市町村が障害者の相談支援事業者に委託していることが多いため、相談支援事業者が実施しています。

●相談を受けられる内容

市町村によって異なりますが、次のようなサポートが受けられます。

- 不動産業者に対する賃貸住宅の紹介依頼
- 入居契約手続きのサポート
- 保証人の調整
- 家主等への相談、アドバイス
- 入居後の緊急対応

住宅セーフティーネット制度

2017年にスタートした、高齢者・障害者・子育て世帯などの住宅の確保に配慮が必要な人（住宅確保要配慮者といいます）向けの制度で、国土交通省がおもに管理する制度です。

住宅セーフティーネット制度は、3つの柱からなる制度です。1つずつ解説していきましょう。なお、さらに詳しく知りたい方は国土交通省ホームページの「住宅セーフティネット制度について」というページをご覧ください。

①住宅確保要配慮者の入居を拒まない賃貸住宅の登録制度

住宅確保要配慮者の入居を拒まない賃貸住宅として登録された住宅のことを「セーフティーネット登録住宅」といいます。登録された住宅は「セーフティーネット住宅情報提供システム」というインターネットサイトで探すことができます。

このサイトで検索をかけると、セーフティーネット登録住宅は2023年12月時点で約88万戸が登録されており、障害者が入れる住宅に絞ると約2万4,000戸がヒットします。

ただし、セーフティーネット登録住宅であるはずなのに、障害者の入居を拒むようなところもあると聞いたことがあるので注意が必要です。

②上記登録住宅の改修や入居者への経済的な支援

登録住宅の改修や入居者への経済的な支援は、入居者自身への支援というより、大家、保証会社、保険会社などへの支援がメインですので、紹介は省略します。

③住宅確保要配慮者に対する居住支援

障害者の部屋探しにとって、いちばん必要かつ具体的な支援は、この3つ目の柱です。

この居住支援については、いくつかの機関や団体、サービスがあります。代表的なものとしては「居住支援協議会」と「居住支援法人」があります。

●居住支援協議会

地方自治体・居住支援法人・不動産業者・管理会社などの連携によって設置されたネットワークです。居住支援協議会は、2023年3月31日時点で全国129地域で設置されています。

居住支援協議会のおもな役割は、住宅確保要配慮者の入居を円滑に進めるために、「住宅確保要配慮者」だけではなく、住宅を貸す大家への情報提供や相談窓口を設置することです。

●居住支援法人

NPO法人などの非営利団体や居住支援を目的とする会社で、一定の基準を満たしている法人のことをいいます。

都道府県が居住支援法人として指定し、国が居住支援法人を支援します。居住支援法人は都道府県が指定することから、お住まいの都道府県のサイトで、指定された居住支援法人の一覧を見ることができます。

この居住支援法人の主な役割は、次の3つです。

・住宅確保要配慮者に対する家賃債務保証
・賃貸住宅への入居に関する情報提供と相談
・見守りなどの生活支援

一人暮らしを続けるためのサポート

部屋探しが無事に終わり、一人暮らしをする場所が見つかったとしても、障害者は日常生活を過ごすうえで、支援が必要となります。次に気になるのは、どのような支援が受けられるかということでしょう。

障害者の一人暮らしの支援として利用できる公的なサービスは、大きく次のように分類できます。

●障害福祉サービス（代表的なものを挙げています）

・居宅介護
・重度訪問介護
・自立生活援助

●それ以外の公的な制度

・日常生活支援事業
・成年後見制度

「日常生活支援事業」と「成年後見制度」についてはステップ6で詳しく紹介しましたので、そちらをご覧ください。ここでは、障害福祉サービスについて取りあげましょう。

居宅介護

居宅介護とは、障害者や障害児が日頃から住んでいる家にヘルパーが出向いておこなうサービスです。

●サービス内容

・お風呂、トイレ、食事などの身体介護
・調理、洗濯、掃除などの家事援助
・生活等に関する相談やアドバイス
・その他生活全般にわたる援助
・通院等介助

病院への通院だけでなく、役所や障害福祉事業者へ出向いて公的な手続きをしたり、障害福祉サービスについての相談をしたりするための移動に対する介助も含みます。

●居宅介護を受けられる人

原則として、障害支援区分1以上の障害者かこれに相当する障害児。同居する家族がいても利用可能です。ただしサポートの内容によっては以下のように条件がありますので、ご注意ください。

・「通院等介助」が受けられるのは障害支援区分2以上で、歩行、移動、トイレの支援が必要な障害児者
・「家事援助」が受けられるのは同居する家族が病気・障害・就労などで家事をおこなうことが困難であることが必要になる

●一回の利用時間

居宅介護は、1回30分から1時間の短時間のサービスを複数回受けることを前提としています。

サービスの提供時間が増えると、事業者に支払われる30分あたりの報酬単価が減っていきます。

それに対して、居宅介護サービスを実際におこなうヘルパーの給与は、時給換算が一般的と考えられ、提供時間に比例して人件費も増えます。

つまり、サービスの提供時間を増やすと事業者の利益が減ることになりますので、事業者は長時間のサービスの提供は基本的にはしないでしょう。

●月の利用回数

上記のような短時間の居宅介護サービスを、月にどれくらい受けられるでしょうか。

支給量については市区町村で標準的な支給量を決めており、地域によって違います。

一般論としては、障害支援区分が重たくなると、その分支給量が増えます。

●**利用できる時間帯**

事業者によりますが、早朝（午前6時から午前8時）や夜間（午後6時から午後10時）のサービスも受けられます。

●**ヘルパーの資格**

障害児者に対して居宅介護を実際におこなうヘルパーは、

・国家資格である介護福祉士
・居宅介護職員初任者研修や障害者居宅介護従業者基礎研修などの専門的な研修を修了した人

などがなれます。

重度訪問介護

重度の障害者に対して、居宅または病院などにおいて次のような介護をおこなう総合的なサービスです。重度訪問介護は、居宅介護とサービス内容が重なるため、どのような違いがあるのかを踏まえて紹介します。

●**サービス内容**

・お風呂、トイレ、食事などの身体介護
・調理、洗濯、掃除などの家事援助
・生活等に関する相談やアドバイス
・その他生活全般にわたる援助
・外出時における移動中の介護
・病院等における意思疎通の支援

●**重度訪問介護を受けられる人**

障害支援区分4以上で、次のいずれかにあたり、常時介護が必要な人のみ利用できます。

・四肢不自由者
・知的障害または精神障害により行動上著しい困難を有する障害者

居宅介護より、利用できる人の範囲は限定されていることがわかります。

●居宅介護との相違点
・病院に入院中、または老人介護施設に入所していても利用できる
・サービス内容に「見守り」も含まれている
・長時間のサービス提供が前提で、24時間介護も可能

●ヘルパーの資格
重度訪問介護を実際に提供するヘルパーは、居宅介護と同じく、介護福祉士や専門的な研修を修了した人などがなります。

重度訪問介護は、利用できる障害者に限定があるものの、重度の知的障害・精神障害者の一人暮らしを可能にする障害福祉サービスです。
しかし、事業者不足・ヘルパー不足などから、必要な人がみな重度訪問介護を受けられているわけではないのが実情のようです。供給不足の理由の一つは、居宅介護と比べて時間単価が低く、居宅介護のほうが売り上げが多いことが挙げられます。

自立生活援助

自立生活援助とは、障害者支援施設やグループホームをかつて利用していた障害者などに対して、日頃暮らしている家における自立した日常生活を営む上での諸問題について、必要な情報の提供やアドバイスなどの援助をおこなうサービスのことです。

●自立生活援助を受けられる人

対象者は、おもに次のとおりです。

・障害者支援施設の利用者
・障害者グループホームの利用者
・単身者
・同居家族がいても、障害や病気、就労などが理由でその同居家族からの支援が見込めない人

●利用できる期間

原則は1年間です。

自立生活援助は、障害者支援施設やグループホームから出たり、同居していた家族から離れたりして、不慣れな一人暮らしを始めた障害者へのサポートという役割です。

最初は一人暮らしの生活でいろいろと不便やトラブルが起こるのは当然です。しかし、自律生活援助を受けながら、一人暮らしをしていけば、少しずつ一人暮らしに慣れていくことが期待されます。そのため、自立生活援助は期間限定のサービスとなります。

もっともあくまでも原則ですので、必要があれば複数回更新することは可能となっています。

●サービス内容

利用者の困りごとによってサービス内容は柔軟に変わると思いますが、基本的なサービス内容は次のとおりです。

・おおむね週1回以上の定期訪問（利用者からの随時の連絡も可能）
・情報提供、相談、アドバイス
・居宅介護などのヘルパー、相談支援員、医療機関などとの連絡調整

●支援者

自立生活援助のサービスを提供する支援者は「地域生活支援員」と呼ばれる支援者です。

地域生活支援員は、サービス管理者が利用者と面談し相談して作った個別支援計画に沿ってサービスを提供していきます。定期訪問し、相談などに応じてくれます。

自立生活援助サービスを提供できる事業者の条件として、グループホーム・居宅介護・相談支援などを提供していることが求められています。

死後の事務のサポート

死後の事務にはどんな課題があるのか

ここまで、障害者の自立を支える支援について見てきました。本章の最後に、親自身や障害をもつわが子の死後の手続きをどうするかの話を取り上げます。誰かに任せることはできるのか、できるとしたら事前にどのような準備をおこなっておけばいいのかについて見ていきましょう。

親の死後の課題

うちの子どもは小学1年生で、重度の知的障害がある一人っ子です。知的障害者の平均余命である65歳まで生きるとしても、まだ60年近く生きるでしょう。私は現在49歳ですので、いくら人生100年時代といっても、うちの子どもが死去する前に私と妻が他界します。

では、私と妻の死後のさまざまな手続き、たとえば火葬や埋葬をうちの子どもが喪主としてできるでしょうか。おそらく難しいと思います。

もちろん私が他界したときに妻が生きていれば妻が喪主となり、妻が他界したときに私が生きていれば私が喪主となって葬儀関係を取り仕切ることになります。
ただし親一人子一人になったあとに親が亡くなった場合、葬儀関係などの死後の事務を誰が取り仕切ってくれるかが問題となります。

喪主は近親者や親族がおこなうことが一般的です。
私にはいとこやいとこの子がいることはいますが、ほとんど交流はありませんので、相続人でもなんでもない彼らにお願いすることはできません。住所や連絡先もわかりませんので、緊急連絡先に彼らの名前を書くこともできません。
そのため私が他界しても彼らには連絡がいきません。ですから、仮にいとこやいとこの子が私の死後の事務を取り仕切ってくれるつもりがあっても、死亡の連絡がいかないため、したくてもできないという状態です。
もっとも想定としては、私や妻が他界したときには、うちの子どもには成年後見人が選任されているはずです。その想定どおりいけば、成年後見人がうちの子どもの代わりに喪主を務めて死後の事務を取り仕切ってくれるでしょう。
しかし、何かの事情で成年後見人が選任されていない場合にはどうなるでしょう。私が病院など自宅以外で死んだ場合は、うちの子ども以外の人が私の死を知ることになるので、病院や役所のほうで最低限の死後事務をおこなってくれます。

問題は私がうちの子どもと同居している自宅で死んだ場合です。うちの子どもが私の死を理解できず、そのような場合の対処方法を知らなければ、第三者は誰も私の死を知り得ません。どうしたらいいかわからないうちの子どもは、腐敗していく私の遺体とともに自宅で過ごすということになるかもしれません。

私やうちの子どもが介護保険サービスや障害福祉サービスを利用してい

れば、ヘルパーが訪問してくれた際に私の死を第三者が知る機会ができます。しかし福祉サービスを利用せずに誰も訪れる人がいなければ、やはり私の遺体が放置されることになります。

このような事態が起きないかというと、必ずしもそうではありません。2021年に療育手帳を持っている知的障害の男性が、病死した父親の遺体を約6年間自宅に放置したとして、死体遺棄などの罪に問われるという裁判がありました。

この事件は、死亡した父親のきょうだいが遺産相続の手続きをするために家を訪れて発覚しました。

障害者本人の死後の課題

親の死後の事務を誰がするのかという問題に加えて、障害をもつ子どもの死後の事務は誰がしてくれるのかという問題もあります。

配偶者やきょうだいがいる障害者であれば、それらの近親者が喪主となって死後の事務を取り仕切ってくれるでしょう。しかしうちの子どものように重度の障害者で、きょうだいがいない一人っ子の場合は、誰がしてくるのでしょうか。

現行法上、成年後見人が選任されていた場合で、死後の事務をおこなう親族がいない場合には、成年後見人が家庭裁判所の許可を得て火葬や埋葬をおこなうことはできます。その費用は本人の財産から支出します。

ただし、葬儀は宗派、規模などによって在り方が様々です。葬儀の方法や費用負担で、成年後見人と相続人とのあいだでトラブルが発生しやすいため、通夜・告別式・お別れ会・供養などの費用については死亡者本人の財産から支出することはできませんので、それらはおこなわれないことになると思われます。

また、保佐人・補助人・任意後見人の場合では火葬や埋葬ですら、亡くなった本人の財産から費用を支出することはできません。

したがって、身寄りのない一人っ子の障害者が亡くなって成年後見人以外が死後の事務をおこなう場合は、自腹でおこなわざるを得ないということです。

ここまでの例で、喪主になってくれる近親者がいる場合や成年後見人が選任されている場合を除いて、「障害者の親及び障害者本人の死後の事務を誰が処理するか」という問題も親亡き後の備えとして解決しておく必要があるのだ、とおわかりいただけたかと思います。

それではまず「死後事務」にはどういうものがあるのかを説明しましょう。そのうえで、喪主となる近親者がいない場合や、成年後見人が選任されていない場合にどのような準備をしたらいいのかについて解説します。

人が亡くなった後には どんな手続きがあるのか

人が亡くなってから埋葬されるまでの基本的な流れは次のとおりです。ここでは、病院で亡くなったケースで紹介します。

(1) 病院からの遺体の搬送

↓

(2) 死亡届・火葬埋葬の許可申請

↓

(3) 通夜・告別式

通夜・告別式をしない場合を「直葬」といいます。通夜・告別式は死後事務の中でいちばんお金がかかるので、省略して直葬にすることも少なくありません

(4) 火葬

(5) 埋葬

これらの5つについて、執りおこなうことができるのは誰か・その費用はどれくらいかを紹介します。

●（1）病院からの遺体の搬送

病院からの遺体の搬送は葬儀会社がおこなうのが一般的です。息を引き取った後に、病院から近隣の葬儀社のリストがもらえるので、その中から自宅に近いところなどの葬儀社に連絡したり、事前に契約していて葬儀費用を積み立てている葬儀社に遺族や関係者が連絡したりして、遺体の搬送の手配をおこないます。

遺体の搬送費用自体は数万円程度です。遺体の搬送をした葬儀社に、葬儀、火葬・埋葬もお願いする場合には、葬儀費用全体に含めて支払うことが多いです。

遺体を生前に住んでいたところに搬送・安置ができない場合は、葬儀社の霊安室で火葬のときまで預かってもらうことも可能です。その場合は、霊安室の使用料として数万円がかかります。

人が亡くなった場合、亡くなったことを知ってから7日以内に届出義務者が死亡届を役所に提出しなければなりません。このことは、戸籍法という法律で定められています。

届出義務者にあたる人は、以下のとおりです。親族でなくても死亡届を出すよう求められることがわかります。

・同居の親族

・その他の同居者

　婚姻届を出していない内縁や事実婚の配偶者はもちろん、ルームシェアをしている同居人であっても「その他の同居者」に含まれ、届出義務者になります。

・家主、地主、家屋や土地の管理人

　賃貸アパートで亡くなった場合、家主である大家、家屋の管理人である管理会社も届出義務者となります。

上記に加えて、病院で亡くなった場合であれば病院も死亡届を出すことができます。実際に、身寄りがなくて遺体の引き取り手もいない場合は病院が死亡届を出すことはあります。また、届出義務者でなくても、亡くなった人と一定の法律上の関係がある人も提出することができます。それは以下の人たちです。

・同居していない親族
　親族であれば、同居していなくても死亡届を出すことができます。
・後見人、保佐人、補助人、任意後見人
　本人が成年後見制度を利用していたら、成年後見人なども死亡届を出せます。
・任意後見受任者
　本人の判断能力が低下する前に本人が亡くなっても（つまり、実際には任意後見人としての業務をおこなっていなかったとしても）、任意後見受任者は死亡届を出せるということになります。

●（2）死亡届・火葬埋葬の許可申請

次に死亡届を用意します。実際には、葬儀社のほうで届出をする人の名前を書き、役所に提出してくれます。死亡届と一緒に、火葬と埋葬の許可申請もおこないます。死亡届の提出、火葬・埋葬の許可申請は葬儀費用に含まれるのが一般的です。

●（3）通夜・告別式

通夜・告別式は、喪主が葬儀社と協力して手配することになります。宗教に則った葬儀もあれば、無宗教の葬儀もあります。先ほど紹介したように、葬儀自体をおこなわない「直葬」もあります。

喪主は親族がなることが一般的です。ただし法律で決まっているわけではないので、喪主になる親族がいなければ、知人友人であっても喪主になることはできます。

通夜・告別式の費用は、葬儀の内容によってさまざまです。直葬であれば20 ～ 30万円程度で収まります。

他方、僧侶に読経してもらうような葬儀であれば50万円以上になることもよくあります。

●（4）火葬

火葬と埋葬は、市区町村から許可証をもらわないとすることはできません。これは墓地埋葬法という法律で決まっています。火葬の許可申請は死亡届と合わせて、死亡届を提出する人の名前で葬儀社が申請してくれます。したがって、死亡届を提出した人が火葬場にお願いして遺体を火葬することになります。

火葬後の遺骨は、骨壷に入れて埋葬許可証と一緒に箱にしまいます。家で遺骨を保管できない・したくない場合は、別途費用を支払えば葬儀社で保管してくれるところもあります。

火葬自体の費用は、火葬場が公営か私営かによって多少の差がありますが、1万円から5万円程度です。

●（5）埋葬

埋葬は、火葬と同じく死亡届を提出した人の名前で許可申請をします。したがって埋葬も死亡届を提出した人が手配することになります。

菩提寺にお墓があれば四十九日に納骨して、そのようなお墓がなければ共同墓地などに埋葬することになります。

埋葬の費用はさまざまです。合祀で埋葬する場合は10万円未満のところもあります。自分たちのお墓に埋葬するとなると、数十万円以上となることもよくあります。墓石を購入するとなると、さらに費用がかかります。

死後の事務はこれだけではありませんが、最低限おこなわないとならない項目は以上です。この流れを踏まえると、死亡届を提出できる人が葬儀関係の手配をすることが効率的だということがわかります。

障害をもつわが子の死後を誰に任せればよいか

では、知的障害者や精神障害者の葬儀関係は誰に任せるといいでしょうか。特にうちの子どものような一人っ子の障害者の場合は、きょうだいや親族がいないので気になるところです。

もっとも、現在きょうだいや親族がいるとしても、障害者より先に亡くなることもあります。親族がいるとしても、親族以外に責任をもって葬儀関係を取り仕切ってくれる人を用意したほうが安心です。

施設に入居または入院している場合

障害者が障害者支援施設や障害者グループホームで住んでいる場合や、精神科病院に入院している場合は、先ほど説明したように「家主、地主、家屋や土地の管理人」が届出義務者にあたりますから、事業者や病院が「家屋の管理人」として死亡届を提出することができます。

ですので、事業者や病院に、障害者が亡くなった際に葬儀などをしてもらえるのかを確認します。病院は葬儀などをしてくれそうもありませんが、障害福祉サービス事業者は、してくれるところもあるかもしれません。

もし、してもらえないということであれば、ほかにしてくれる人を探すことになります。

一人暮らしの場合

一人暮らしをしている障害者の場合、成年後見人・保佐人・補助人・任意後見人がついていることも多いと思うので、それらの人にお願いできるか確認しましょう。

このように、障害者が死亡した場合には、死亡届を提出できる人の手配は、そんなに難しくないと思います。

問題は、葬儀関係の費用です。成年後見人だけは、家庭裁判所の許可があれば火葬と埋葬に関する費用を亡くなった障害者本人の財産から支出できますが、その他の場合は死亡届を提出する人が障害者本人の財産から勝手に使うことができません。

また、許可を得た成年後見人であっても障害者本人の財産から支出できるのは火葬と埋葬に関する費用に限定されていて、通夜・告別式、お別れ会の費用、僧侶に支払うお布施を障害者本人の財産から支払うことはできません。

親や家族のほうで、障害者の葬儀関係をお願いするときに葬儀関係の費用を事前に渡しておかないと、死亡届の提出をした人が自腹を切ることになりかねないので、注意が必要です。

親自身の死後を誰に任せればよいか……………………

障害者の親、または独身のきょうだいなどの死後の事務は誰に託せばいいでしょうか。

障害者の親やきょうだいが認知症などになり、成年後見人が選任されるようであれば、障害者本人に成年後見人が選任された場合と同じで、ある程度のところまで死後の事務を頼ることができます。

しかし、すべての人が死ぬまでに認知症になり、成年後見制度を利用するわけではありません。

ですので、障害者の家族の死後事務については、それを頼める人を自分で見つけてお願いするということになります。ただし、口約束だとその約束が守られるかわかりません。そこで、死後の事務をお願いする人とのあいだで「死後事務委任契約」を結ぶことをおすすめします。

死後事務委任契約とは

文字通り「死後の事務を委ね、任せる契約」のことです。

たとえば次のように、自分の死後の事務についてどのように進めてもらうかを明確にしたうえで、信頼できる人との間で生前に死後事務委任契約を結びます。

自分が死んだ後は、その人に契約にもとづいて死後の事務を担ってもらうことができます。

●死後の事務について決めておくこと

- 葬儀をおこなうか否か
- 葬儀をおこなう場合に、その内容
- 埋葬場所をどこにするのか
- 障害のある家族にどのように伝えるか
- 亡くなったことを誰に知らせるか
- 経済的な価値がない不要品をどのように処分するか
- 飼っているペットの預け先をどこにするか
- SNSなどのアカウントを削除するかどうか

ちなみにインターネット上にも「死後事務委任契約書を作成するときのひな形」があるのですが、私としてはおすすめできません。

そのようなひな形は一般的なものであり、あなたの事情に合わせたものではないので、頼まれた人がその契約書に従って死後の事務をまっとうできないということがあり得ます。

ですので死後事務委任契約書を作成する際には、弁護士などの法律の専門家にご相談することをおすすめします。

●誰に委任すればよいか

死後事務を委任する人は、原則として誰でも大丈夫です。

ただ、事務手続きを責任もってこなせる人でなければならないので、未成年者や借金などで破産した人は避けたほうがいいです。それ以外の人であれば、一般人でも法人でも構いません。
　まわりにお願いできる人がいない場合には、弁護士などの法律専門家が死後の事務を引き受けてくれる場合は多いです。
　ご相談の際に契約書の作成と合わせて、その点も尋ねるといいでしょう。

あとがき

本書でふれられなかった今後の課題

障害者の親亡き後の備えは、いったい何から手をつければいいのか?
親が死んでから、障害をもつ本人が亡くなるまでに、どれくらいお金が必要なのか?

本書は、重度知的障害をもって生まれたわが子を育てる過程で、私自身がぶつかった2つの問いに答えることをテーマに書いたものです。ここまで、計算式や数値を具体的に示しながら1から7までのステップを踏んで解説してきました。私の抱いた2つの問いについては十分に答えられたと思います。

また、終章では障害者の自立についてふれ、福祉のサポートを受けながら障害者が自分の力で人生を歩んでいく方法についてもお伝えしました。

ただ、本書にはいくつか足りない部分もありますので、今後の課題を明らかにするためにもこのあとがきでふれておきます。

1つ目は、障害者の終のすみかになり得る住まいについてです。

信頼できる障害者支援施設やグループホームの見つけ方・入り方は障害者を家族にもつ家庭にとっては大きな課題です。一人暮らしの場合も、重度訪問介護事業者の見つけ方・確保の仕方が問題になります。

これらについては、お住まいの地域によって話が変わってくるため、ポイントをひとくくりにして解説することが難しかったり、現状としてどうするのが適切か確実なことがいえなかったりするため、本書ではふれられませんでした。

2つ目は、ステップ6で紹介した法人後見についてです。既存の法人後見では望むサービスを受けられないときに、障害者の親やきょうだいが法人を設立して、望むサービスを自分たちで提供するやり方があるとお話ししました。しかし、具体的な方法については複雑かつ膨大になってしまうので、本書で説明することは避けました。

3つ目は、これは本書に限った話ではありませんが、いくら親亡き後に関する書籍を読み、セミナーを受けても、専門知識をもっていない人が自分で適切なプランを作ることは難しいというそもそもの限界があります。ステップ7でも述べたように、専門家への相談は重要です。

私が現在おこなっている情報発信と、検討中のサービス

本書でお伝えしきれなかったこれらの点については、何か違うかたちで私のもっている知識やアドバイスをみなさんに提供できないか検討しているところです。

以下は、現在私がおこなっている、親亡き後についての情報発信です。

●公式サイト（https://legaladvice.jp）
●YouTube「障害者家族サポートチャンネル」

先ほど挙げた1つ目や2つ目の点については、これらをとおして、おいおい情報発信していきたいと考えています。

最新情報を知りたい方は、メルマガ登録またはチャンネル登録をお願いいたします。

また3つ目の点をカバーする方法として、現在検討中のアイディアがあります。「親亡き後のプラン提供サービス」です。

これは何かというと、情報シートを提出するだけで、親亡き後の備えについての最適なプランを提供するというものです。

障害をもつ子ども（またはきょうだい）の世話や介護で日々の生活に追われている方の中には、複雑な法制度を勉強する時間的・精神的な余裕がないという人も少なくありません。また、先にも書いたように専門知識をもっていない方が、その家庭にとっての最適なプランをゼロから作ることは難しいです。

そこで、障害者やその家族に関する情報、障害者本人や家族の意向を、チェックシートや簡単な質問に答えるかたちで記入してもらい、その情報にもとづいて最適なプランを提供することができればと考えています。

ご自身でプランを立てるにしても、そのあと専門家に相談するにしても、ゼロから考えるより、提供されたプランを叩き台として考えるほうが効率的です。

まえがきに書いたとおり、私の願いは、将来うちの子が福祉のサポートを受けながら、なんとか人並みに生きていけること。そして子どもが成人したら、できれば自分が元気なうちにわが子の世話や介護から解放され、第二の人生を妻とともに楽しむことです。

それを実現させるのもまた「親亡き後」の準備であると、読者のみなさんにはここまでの話でおわかりいただけたかと思います。

紹介してきたように、親亡き後を考えるうえではたくさんの法制度が出てきます。はじめはとっつきにくく感じられると思いますが、それらの法制度があることを知り、適切に利用することで、障害をもつわが子に自立の道を歩ませることもできるのです。

もちろん、お子さんが成人したあとも自宅で介護を続けるというのも、大事な一つの選択です。

それでも、もしも「自分は一生、わが子を介護し続けなければならない」「障害者の親だから、もう自分自身の人生なんて送れない」と考えている方が、「健常者の親と同様に、子育てからの卒業を思い描いてもいいのかもしれない」「子どもが成人したら何をしようかな」と少しでも思えるようになったとしたら、これほどうれしいことはありません。

最後になりましたが、出版を快諾してくださったポット出版の沢辺均さん、編集担当の本多さんと松村さん、沢辺さんとの縁をつないでくださった作家の伏見憲明さん、そして本書が生まれた何よりのきっかけであり、いつも支えていてくれる妻子に感謝を捧げます。

わが家の「いくら」がわかる計算シート

親亡き後にいくらお金が必要なのか、みなさんのご家庭の場合を計算してみましょう。この計算シートはWebからもダウンロードできます。右のQRコードから。

計算シートはいずれも著者作成

計算シート1 障害者の収入全体の予測表

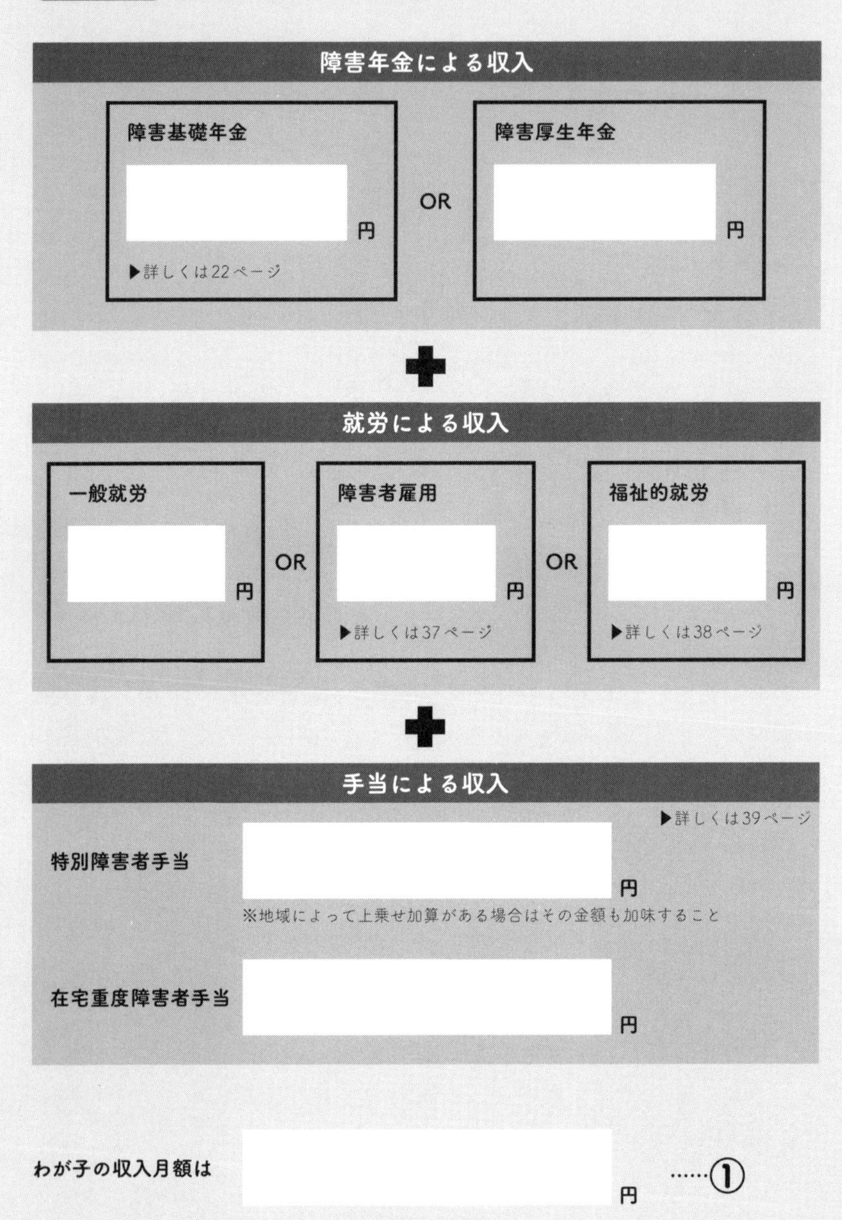

計算シート2 子の支出の月額（すでに独立している場合）

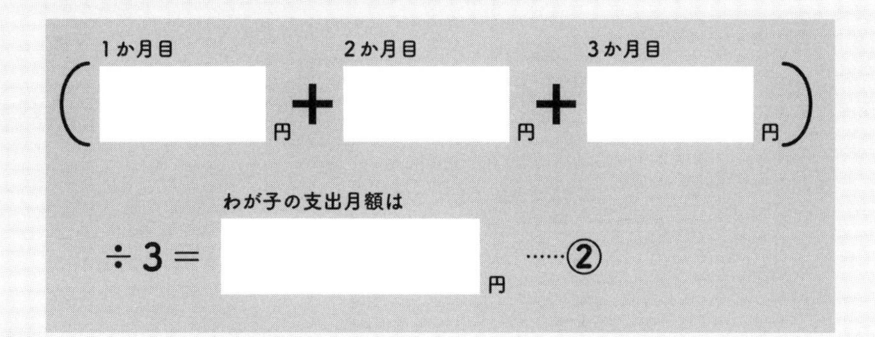

計算シート3 子の支出の月額（まだ独立していない場合）

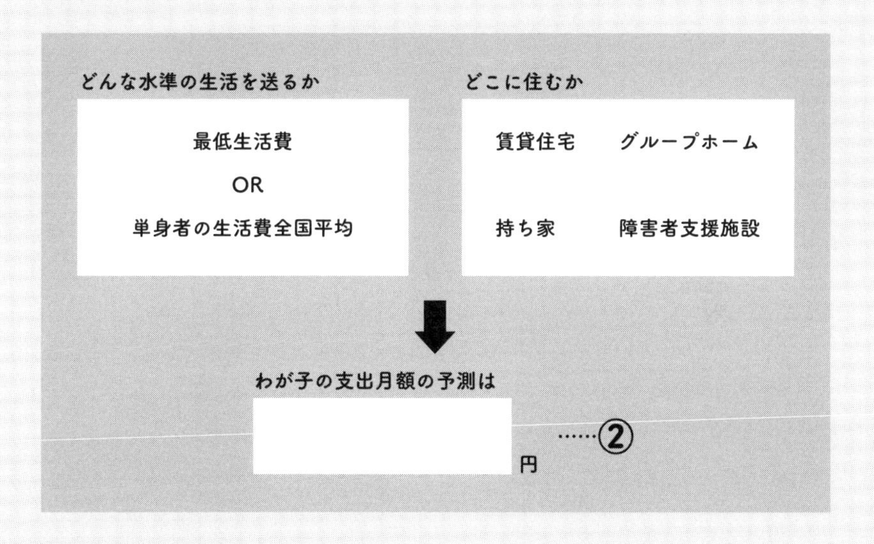

計算シート4 親亡き後の期間

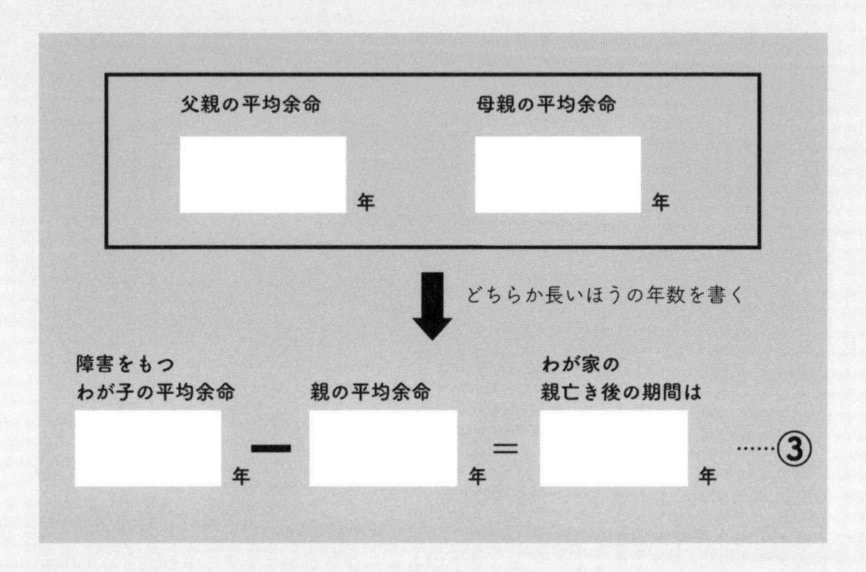

計算シート5 親亡き後に残す資金

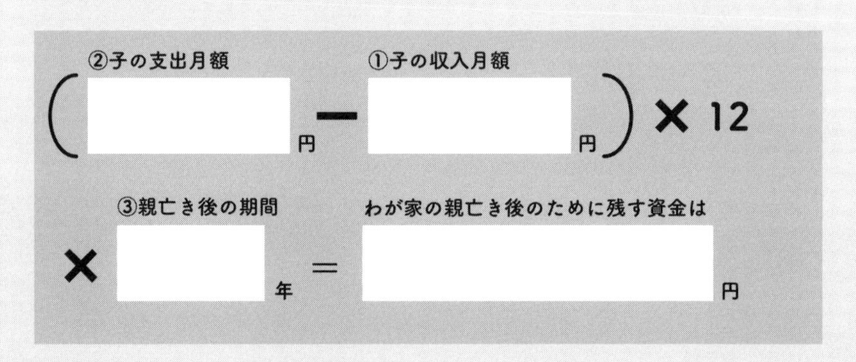

用語解説

本書に登場する用語の中で、特に重要な語句について解説をまとめました。

い

遺産分割協議

遺産の分け方を相続人どうしの話し合いで変更する話し合いのこと。

一般就労

障害者雇用でも福祉的就労でもなく、健常者と全く同じ条件で雇用され、全く同じ条件で就労すること。

遺留分

遺言によっても奪うことができない、一部の相続人が最低限もらうことができる遺産の取得分のこと。「法定相続分の何割」という定められ方をしている。

か

確定拠出年金

掛金とその運用益との合計額をもとに、将来の給付額が決定する年金制度。小規模企業共済のように加入資格が一部に制限されていないため、老後資金の貯蓄や節税のために利用しやすい。企業型確定拠出年金（企業型DC）と個人型確定拠出年金（iDeco）に分けられる。

課税所得

合計所得額から各種所得控除の合計額を差し引いた金額のこと。税金が課される分の所得という意味。

家庭裁判所

おもに、家庭に関する事件の調停及び審判、離婚訴訟などの人事訴訟の第一審の裁判、少年保護事件の審判についての権限がある裁判所。成年後見人の選任や、遺産分割で相続人どうしが揉めている場合の法的解決も家庭裁判所がおこなう。

く

グループホーム

主として夜間、障害者に対してお風呂・排せつ・食事の介護・その他の日常生活上の援助・相談をおこなう施設。利用者は、平日の昼間には生活介護事業所や就労継続支援事業所などの日中活動に通うことが想定されている。

さ

在宅重度障害者手当

在宅の重度障害者が受給できる手当。地

方自治体が条例などで定めている手当のため、住んでいる地域によって、手当の名称、支給要件、支給額はさまざま。

最低生活費（さいていせいかつひ）

国が定める、健康で文化的な最低限度の生活レベルの金額のこと。支給額は、世帯の人数とその世帯の構成年齢、住んでいる地域によって決まる。

し

死因贈与（しいんぞうよ）

財産を贈与する人が亡くなったときに効力が発生する贈与のこと。死因贈与の場合も、贈与契約自体は贈与する人が生きているあいだにおこなう。

市民後見人（しみんこうけんにん）

専門職後見人のような国家資格や専門知識は無いものの、成年後見制度について研修を受けた一般人のこと。一般的に報酬はゼロで、いわばボランティアの成年後見人といえる。ただし、市民後見人を監督する監督人に対する報酬は発生する。

住宅扶助（じゅうたくふじょ）

生活保護の扶助の一つで、住居・家賃に関する費用に対する援助。賃貸アパート等に住んでいる場合には重要な扶助となる。

障害基礎年金（しょうがいきそねんきん）

国民年金に加入している期間に障害の原因となる病気やケガをした場合、国民年金保険料を一定期間支払っている人がもらえる年金のこと。障害がなくなったり、障害の程度が軽くなったりしない限り一生涯もらえる。

障害支援区分（しょうがいしえんくぶん）

障害の特性や状態によって必要とされる支援の程度のこと。区分1から6と非該当があり、区分の数字が大きくなるほど必要とされる支援の程度が高くなる。原則として、障害者総合支援法による障害福祉サービスを利用する際に、市町村に障害支援区分の認定をしてもらう必要がある。

傷害疾病定額保険（しょうがいしっぺいていがくほけん）

被保険者がケガをしたり病気になったりした場合に、一定額の保険金が支払われる保険。医療保険、ガン保険、所得保障保険など。

障害者雇用（しょうがいしゃこよう）

障害者雇用促進法に基づき、周りに障害者であることを明らかにしたうえで事業者に雇用されること。

障害者雇用率（しょうがいしゃこようりつ）

国が、期間の定めのない従業員を雇用するすべての事業主（民間・国・地方公共団体、法人・個人を問わない）に対して、障害者を雇用しなければならないと定めた、一定の割合のこと。

障害者支援施設（しょうがいしゃしえんしせつ）

昼間は生活介護・自立訓練などを、夜間はお風呂・トイレ・食事等の介護などを障害者に対しておこなう施設。

障害者扶養共済（しょうがいしゃふようきょうさい）

公的な生命保険の一つで、障害のある子をもつ、親などの保護者が加入者となる。生活保護の収入には当たらない、掛け金全額が所得控除の対象になる、掛け金が安いなどのメリットから、本書では著者がおすすめしたい親亡き後の備えとして掲載している。

障害福祉サービス

障害者の支援などについて定めた「障害者総合支援法」にもとづいて提供されるサービスのこと。自宅や施設における介護をおこなう「介護給付」と、就労に関する支援や暮らしに関する援助をおこなう「訓練等給付」の2つに大きく分けられる。「就労移行支援」や「生活介護」なども障害福祉サービスの一つ。

小規模企業共済等掛金控除

所得控除の「その他の控除」のうちの一つ。小規模企業共済・iDeCoなどの確定拠出年金の掛金・障害者扶養共済の掛金が控除の対象になる。

所得

収入から必要経費を引いたもの。所得制限などについて考える際は、単純に「収入＝所得」ではない点に注意する必要がある。

所得控除

所得税の金額と住民税の金額を計算するときに、納税者の個人的事情を加味することを目的としたもの。所得控除を適用することで、課税所得の額そのものを減らす・税率を下げることができ、結果的に納税額を少なくできる。大きくは、障害者控除、ひとり親控除など要件に該当する人が限られる「人的控除」と、要件に該当する人が限られない「その他の控除」に分けられる。

所得制限

一定以上の収入がある個人や世帯に対し、手当などの支給について制限を設けること。本書では障害基礎年金・特別障害者手当（ステップ1）、特別児童扶養手当（ステップ4）の所得制限についてふれている。

親族後見人

本人の配偶者や親、子、きょうだいなどの親族が成年後見人などになる場合の呼び方。

信託

自分の財産を人に託して、その財産の管理や処分を任せること。財産を所有しそれを託す人を「委託者」、財産を託される人を「受託者」、その財産から生じる利益を受け取る人を「受益者」といい、託された財産のことを「信託財産」という。

せ

生活扶助

生活保護の中心を占める扶助で、衣食その他の日常生活に必要な費用に対する援助。

生活保護

最低生活費よりも収入が下回っている場合、その足りない分を補充してもらえるしくみのこと。

精神の障害に係る等級判定ガイドライン

精神の障害について「障害等級の目安」

を示したガイドライン。地域によって障害の等級判定に差が出てしまうことを是正するために国が作成したもの。医師の診断書に記載されている項目のうち、「日常生活能力の程度」の評価を横軸に、「日常生活能力の判定」の評価の平均を縦軸にとり、両軸が重なる部分に目安となる障害等級を示している。本書の巻末資料1-3（308ページ）に掲載。

生前贈与

財産を贈与する人が生きているうちに贈与をおこなうこと。

成年後見制度

認知症・知的障害・精神障害等で判断能力に問題がある本人に対して、サポート役となる人をつけ、本人の財産を適切に管理し生活を支える制度。

成年後見制度利用支援事業

本人の収入が少ない場合に成年後見制度利用の申立関係費用と成年後見人などの報酬の費用を助成し、成年後見制度が受けられるようにする制度のこと。どの程度の収入であれば制度の対象となるかは地域によって異なる。

生命保険

被保険者（保険の対象者）の死亡または生存に関して、一定額の保険金が支払われる保険のこと。死亡した場合に死亡保険金が支払われる保険だけではなく、学資保険や個人年金保険などのように、契約を結んでから一定期間が経過後に生きている場合に支払われる保険も生命保険に含まれる。

専門職後見人

司法書士・弁護士・社会福祉士などの国家資格を有する専門職が後見人になる場合の呼び方。

贈与

財産をタダで譲り渡す契約のこと。

損害保険

自動車保険や火災保険など、偶然の事故によって生じることのある損害を穴埋めする保険。被保険者が受けた損害だけではなく、他人に与えた損害も損害保険の対象となる。

と

特別児童扶養手当

20歳未満の障害児を育てている保護者（親はもちろん、血のつながりがなくても障害児と同居し面倒をみている人も含む）に対して支給される、月数万円の手当のこと。それがもらえる程度の障害があっても、自動で支給されるわけではなく、認定を請求しなければならない。

特別障害者手当

障害者が受け取れるおもな手当の一つで、2023年4月時点の月額は27,980円。支給対象者は20歳以上で、著しく重度の障害があり、日常生活において常時の介護を必要とする人に絞られており、現在の受給者は障害者全体の1%程度。

に

任意後見（にんいこうけん）

本人の判断能力に問題が生じる前に、本人があらかじめサポート役となる人（任意後見人）を選び、任意後見契約を結び、本人の判断能力が不十分になった場合に、家庭裁判所が任意後見人を監督する人（任意後見監督人）を選任することで開始する。

ひ

被保険者（ひほけんしゃ）

保険の対象となる人のこと。被保険者が誰かによって保険料が変わる。

ふ

福祉的就労（ふくしてきしゅうろう）

明確な定義はないが、本書では障害者総合支援法が定める、就労移行支援、就労継続支援A型、就労継続支援B型、就労定着支援障害福祉サービスなどの障害福祉サービスを受けながら働くこととする。

負担付き贈与（ふたんつきぞうよ）

「この財産を贈与する代わりに、障害のある子どもの世話をすること」など、義務や条件をつけたうえで贈与をおこなうこと。

扶養義務（ふようぎむ）

民法では「直系血族及び兄弟姉妹には、お互いに扶養する義務がある」と定められている。自分の生活を犠牲にしてでも、自分と同等の生活をさせる「生活保持義務」と、生活に余裕がある場合に、最低限度の生活をするだけの援助をする「生活扶助義務」の二つに分けられる。

ほ

法人後見（ほうじんこうけん）

社会福祉協議会・社会福祉法人・NPO法人等などの法人が成年後見人になる場合の呼び方。

法定後見（ほうていこうけん）

本人の判断能力に問題が生じたあとに、家庭裁判所がサポート役となる人（成年後見人・保佐人・補助人）を選任すると開始する。

法定相続分（ほうていそうぞくぶん）

相続人のうち、誰にどれだけの財産を相続をさせるかを定めた原則のこと。法定相続分は、相続人の人数や誰が相続人かによって異なる。

保険契約者（ほけんけいやくしゃ）

保険契約にもとづいて、保険料を支払う人のこと。

め

名義預金（めいぎよきん）

口座の名義人と実際にお金を出した人が違う預金のこと。たとえば暦年贈与の場合において、贈与を受け取る側名義の口座に毎年入金されている110万円以下のお金が名義預金（実質的には名義人のお金ではなく亡くなった人のお金であり、遺産の一部）であると税務署に認定されると、相続税の課税対象となってしまう。

ゆ

遺言（ゆいごん）

自分の財産を自分の死後にどのように処分するかを決めて、法律に則った遺言書を作成することでその処分内容を実現するもの。

れ

暦年贈与（れきねんぞうよ）

贈与税の基礎控除（110万円）を利用しておこなう生前贈与のこと。毎年最大110万円ずつ贈与することで、相続税が課せられずに済んだり、課税されるとしてもその課税額を減らすことができる。財産を受け取る側（たとえば障害をもつ子ども）の名義の預貯金口座に、財産をあげる側（たとえば障害児をもつ親）が振り込むことが一般的。

巻末資料

⑬精　国民年金 厚生年金保険　**診断書**（精神の障害用）　様式第120号の4

（フリガナ） 氏名		生年月日	□昭和 □平成 □令和 年 月 日生（ 歳）	性別	□男 □女
住所	住所地の郵便番号 ―	都道府県	郡市区		

① 障害の原因となった傷病名	ICD－10コード（ ）	② 傷病の発生年月日	□昭和 □平成 □令和 年 月 日	□診療録で確認 □本人の申立て（ 年 月 日）	本人の発病時の職業	
		③ ①のため初めて医師の診療を受けた日	□昭和 □平成 □令和 年 月 日	□診療録で確認 □本人の申立て（ 年 月 日）	④ 既存障害	
⑥傷病が治った（症状が固定した状態を含む。）かどうか。	□平成 □令和 年 月 日 □確認 □推定	症状のよくなる見込…□有・□無・□不明			⑤ 既往症	

⑦ 発病から現在までの病歴及び治療の経過、内容、就学・就労状況等、期間、その他参考となる事項

陳述者の氏名　請求人との続柄　聴取年月日　年　月　日

⑧ 診断書作成医療機関における初診時所見

初診年月日（□昭和 □平成 □令和 年 月 日）

⑨ これまでの発育・養育歴等（出生から発育の状況や教育歴及びこれまでの職歴をできるだけ詳しく記入してください。）

ア 発育・養育歴

イ 教育歴
乳児期
□不就学・□就学猶予
小学校（□普通学級・□特別支援学級・□特別支援学校）
中学校（□普通学級・□特別支援学級・□特別支援学校）
高校（□普通学級・□特別支援学校・）
その他

ウ 職歴

エ 治療歴（書ききれない場合は⑬「備考」欄に記入してください。）（※ 同一医療機関の入院・外来は分けて記入してください。）

医療機関名	治療期間	入院・外来	病名	主な療法	転帰（軽快・悪化・不変）
	年 月～ 年 月	□入院・□外来			
	年 月～ 年 月	□入院・□外来			
	年 月～ 年 月	□入院・□外来			
	年 月～ 年 月	□入院・□外来			
	年 月～ 年 月	□入院・□外来			

⑩ **障害の状態**（□平成□令和 年 月 日現症）

ア 現在の病状又は状態像（該当のローマ数字、英数字にチェックしてください。）

前回の診断書の記載時との比較　（前回の診断書を作成している場合は記入してください。）
□1 変化なし　□2 改善している　□3 悪化している　□4 不明

Ⅰ 抑うつ状態
□1 思考・運動制止　□2 刺激性、興奮　□3 憂うつ気分
□4 自殺企図　□5 希死念慮
□6 その他（ ）

Ⅱ そう状態
□1 行為心迫　□2 多弁・多動　□3 気分（感情）の異常な高揚・刺激性
□4 観念奔逸　□5 易怒性・被刺激性亢進　□6 誇大妄想
□7 その他（ ）

Ⅲ 幻覚妄想状態 等
□1 幻覚　□2 妄想　□3 させられ体験　□4 思考形式の障害
□5 著しい奇異な行為　□6 その他（ ）

Ⅳ 精神運動興奮状態及び昏迷の状態
□1 興奮　□2 昏迷　□3 拒絶・拒食　□4 滅裂思考
□5 衝動行為　□6 自傷　□7 無動・無反応
□8 その他（ ）

Ⅴ 統合失調症等残遺状態
□1 自閉　□2 感情の平板化　□3 意欲の減退
□4 その他（ ）

Ⅵ 意識障害・てんかん
□1 意識混濁　□2（夜間）せん妄　□3 もうろう　□4 錯乱
□5 てんかん発作　□6 不機嫌症　□7 その他（ ）
・てんかん発作の状態　※発作のタイプは記入上の注意参照
1 てんかん発作のタイプ（□A・□B・□C・□D）
2 てんかん発作の頻度（年間 回、月平均 回、週平均 回 程度）

Ⅶ 知能障害等
□1 知的障害　□ア 軽度　□イ 中等度　□ウ 重度　□エ 最重度
□2 認知症　□ア 軽度　□イ 中等度　□ウ 重度　□エ 最重度
□3 高次脳機能障害
□ア 失行　□イ 失認
□ウ 記憶障害　□エ 注意障害　□オ 遂行機能障害　□カ 社会的行動障害
□4 学習障害　□ア 読み　□イ 書き　□ウ 計算　□エ その他（ ）
□5 その他（ ）

Ⅷ 発達障害関連症状
□1 相互的な社会関係の質的障害　□2 言語コミュニケーションの障害
□3 限定した常同的で反復的な関心と行動　□4 その他（ ）

Ⅸ 人格変化
□1 欠陥状態　□2 無関心　□3 無為
□4 その他症状等（ ）

Ⅹ 乱用、依存等（薬物等名： ）
□1 乱用　□2 依存

Ⅺ その他〔 〕

イ 左記の状態について、その程度・症状・処方薬等を具体的に記載してください。

本人の障害の程度及び状態に無関係な欄には記入する必要はありません。（無関係な欄は、斜線により抹消してください。）

「診療録で確認」または「本人の申立て」のどちらかにチェックをして、本人の申立ての場合は、それを聴取した年月日を記入してください。

（お願い）臨床所見等は、診療録に基づいてわかる範囲で記入してください。

（お願い）太文字の欄は、記入漏れがないように記入してください。

ウ　**日常生活状況**

1　家庭及び社会生活についての具体的な状況

（ア）現在の生活環境（該当するもの一つを選んでチェックしてください。）

□入院・□入所・□在宅・□その他（　　　　　　　）

（施設名　　　　　　　　）

同居者の有無（　□有・□無　）

（イ）全般的状況（家族及び家族以外の者との対人関係についても具体的に記入してください。）

［　　　　　　　　　　］

2　**日常生活能力の判定（該当するものにチェックしてください。）**

（判断にあたっては、単身で生活するとしたら可能かどうかで判断してください。）

(1) **適切な食事** ― 配膳などの準備も含めて適当量をバランスよく摂ることがほぼできるなど。

□できる　□自発的にできるが時には助言や指導を必要とする　□自発的かつ適正に行うことはできないが助言や指導があればできる　□助言や指導をしてもできない若しくは行わない

(2) **身辺の清潔保持** ― 洗面、洗髪、入浴等の身体の衛生保持や着替え等ができる。また、自室の清掃や片付けができるなど。

□できる　□自発的にできるが時には助言や指導を必要とする　□自発的かつ適正に行うことはできないが助言や指導があればできる　□助言や指導をしてもできない若しくは行わない

(3) **金銭管理と買い物** ― 金銭を独力で適切に管理し、やりくりがほぼできる。また、一人で買い物が可能であり、計画的な買い物がほぼできるなど。

□できる　□おおむねできるが時には助言や指導を必要とする　□助言や指導があればできる　□助言や指導をしてもできない若しくは行わない

(4) **通院と服薬**（□要・□不要）― 規則的に通院や服薬を行い、病状等を主治医に伝えることができるなど。

□できる　□おおむねできるが時には助言や指導を必要とする　□助言や指導があればできる　□助言や指導をしてもできない若しくは行わない

(5) **他人との意思伝達及び対人関係** ― 他人の話を聞く、自分の意思を相手に伝える、集団的行動が行えるなど。

□できる　□おおむねできるが時には助言や指導を必要とする　□助言や指導があればできる　□助言や指導をしてもできない若しくは行わない

(6) **身辺の安全保持及び危機対応** ― 事故等の危険から身を守る能力がある、通常と異なる事態となった時に他人に援助を求めるなどを含めて、適正に対応することができるなど。

□できる　□おおむねできるが時には助言や指導を必要とする　□助言や指導があればできる　□助言や指導をしてもできない若しくは行わない

(7) **社会性** ― 銀行での金銭の出し入れや公共施設等の利用が一人で可能。また、社会生活に必要な手続きが行えるなど。

□できる　□おおむねできるが時には助言や指導を必要とする　□助言や指導があればできる　□助言や指導をしてもできない若しくは行わない

3　**日常生活能力の程度（該当するもの一つにチェックしてください。）**

※日常生活能力の程度を記載する際には、状態をもっとも適切に記載できる（精神障害）又は（知的障害）のどちらかを使用してください。

（精神障害）

□(1) 精神障害（病的体験・残遺症状・認知障害・性格変化等）を認めるが、社会生活は普通にできる。

□(2) 精神障害を認め、家庭内での日常生活は普通にできるが、社会生活には、援助が必要である。
（たとえば、日常的な家事をこなすことはできるが、状況や手順が変化したりすると困難を生じることがある。社会行動や自発的な行動が適切に出来ないこともある。金銭管理はおおむねできる場合など。）

□(3) 精神障害を認め、家庭内での単純な日常生活はできるが、時に応じて援助が必要である。
（たとえば、習慣化した外出はできるが、家事をこなすために助言や指導を必要とする。社会的な対人交流は乏しく、自発的な行動に困難がある。金銭管理が困難な場合など。）

□(4) 精神障害を認め、日常生活における身のまわりのことも、多くの援助が必要である。
（たとえば、著しく適正を欠く行動が見受けられる。自発的な発言が少ない、あっても発言内容が不適切であったり不明瞭であったりする。金銭管理ができない場合など。）

□(5) 精神障害を認め、身のまわりのこともほとんどできないため、常時の援助が必要である。
（たとえば、家庭内生活においても、食事や身のまわりのことを自発的にすることができない。また、在宅の場合に通院等の外出には、付き添いが必要な場合など。）

（知的障害）

□(1) 知的障害を認めるが、社会生活は普通にできる。

□(2) 知的障害を認め、家庭内での日常生活は普通にできるが、社会生活には、援助が必要である。
（たとえば、簡単な漢字は読み書きができ、会話も意思の疎通が可能であるが、抽象的なことは難しい。身辺生活も一人でできる程度）

□(3) 知的障害を認め、家庭内での単純な日常生活はできるが、時に応じて援助が必要である。
（たとえば、ごく簡単な読み書きや計算はでき、助言などがあれば作業は可能である。具体的指示であれば理解ができ、身辺生活についてもおおむね一人でできる程度）

□(4) 知的障害を認め、日常生活における身のまわりのことも、多くの援助が必要である。
（たとえば、簡単な文字や数字は理解でき、保護的環境であれば単純作業は可能である。習慣化していることであれば言葉での指示を理解し、身辺生活についても部分的にできる程度）

□(5) 知的障害を認め、身のまわりのこともほとんどできないため、常時の援助が必要である。
（たとえば、文字や数の理解力がほとんど無く、簡単な手伝いもできない。言葉による意思の疎通がほとんど不可能であり、身辺生活の処理も一人ではできない程度）

エ　現症時の就労状況

○ 勤務先　□一般企業　□就労支援施設　□その他（　　　　）

○ 雇用体系　□障害者雇用　□一般雇用　□自営　□その他（　　　　）

○ 勤続年数　（　　年　　ヶ月）　○ 仕事の頻度　（□週に □月に（　　）日）

○ ひと月の給与　（　　　　円程度）

○ 仕事の内容

○ 仕事場での援助の状況や意思疎通の状況

オ　身体所見（神経学的な所見を含む。）

カ　臨床検査（心理テスト・認知検査、知的障害の場合は、知能指数、精神年齢を含む。）

キ　福祉サービスの利用状況（障害者総合支援法に規定する自立訓練、共同生活援助、居宅介護、その他障害福祉サービス等）

⑪ **現症時の日常生活活動能力及び労働能力**（必ず記入してください。）	
⑫ **予　後**（必ず記入してください。）	
⑬ 備　考	

上記のとおり、診断します。　　　　年　　月　　日

病院又は診療所の名称　　　　　　　診療担当科名

所　在　地　　　　　　　　　　　　医師氏名

病歴・就労状況等申立書

No.　　—　　枚中

（請求する病気やけがが複数ある場合は、それぞれ用紙を分けて記入してください。）

病歴状況	傷病名			
発病日	昭和・平成・令和　年　月　日	初診日	昭和・平成・令和　年　月　日	

記入する前にお読みください。
- ○ 次の欄には障害の原因となった病気やけがについて、発病したときから現在までの経過を年月順に期間をあけずに記入してください。
- ○ 受診していた期間は、通院期間、受診回数、入院期間、治療経過、医師から指示された事項、転医・受診中止の理由、日常生活状況、就労状況などを記入してください。
- ○ 受診していなかった期間は、その理由、自覚症状の程度、日常生活状況、就労状況などについて具体的に記入してください。
- ○ 健康診断などで障害の原因となった病気やけがについて指摘されたことも記入してください。
- ○ 同一の医療機関を長期間受診していた場合、医療機関を長期間受診していなかった場合、発病から初診までが長期間の場合は、その期間を３年から５年ごとに区切って記入してください。

	期間	状況
1	昭和・平成・令和　年　月　日から 昭和・平成・令和　年　月　日まで 受診した　・　受診していない 医療機関名	発病したときの状態と発病から初診までの間の状況（先天性疾患は出生時から初診まで）
2	昭和・平成・令和　年　月　日から 昭和・平成・令和　年　月　日まで 受診した　・　受診していない 医療機関名	左の期間の状況
3	昭和・平成・令和　年　月　日から 昭和・平成・令和　年　月　日まで 受診した　・　受診していない 医療機関名	左の期間の状況
4	昭和・平成・令和　年　月　日から 昭和・平成・令和　年　月　日まで 受診した　・　受診していない 医療機関名	左の期間の状況
5	昭和・平成・令和　年　月　日から 昭和・平成・令和　年　月　日まで 受診した　・　受診していない 医療機関名	左の期間の状況

※裏面も記入してください。

就労・日常生活状況	1．障害認定日（初診日から1年6月目、またはそれ以前に治った場合は治った日）頃の状況と 2．現在（請求日頃）の状況について該当する太枠内に記入してください。

1．障害認定日（昭和・平成・令和　　年　　月　　日）頃の状況を記入してください。

就労状況	就労していた場合	職種（仕事の内容）を記入してください。	
		通勤方法を記入してください。	通勤方法 通勤時間（片道）　　時間　　分
		出勤日数を記入してください。	障害認定日の前月　　日　障害認定日の前々月　　日
		仕事中や仕事が終わった時の身体の調子について記入してください。	
	就労していなかった場合	仕事をしていなかった（休職していた）理由をすべて○で囲んでください。 なお、オを選んだ場合は、具体的な理由を（　）内に記入してください。	ア　体力に自信がなかったから イ　医師から働くことを止められていたから ウ　働く意欲がなかったから エ　働きたかったが適切な職場がなかったから オ　その他（理由　　　）
日常生活状況		日常生活の制限について、該当する番号を○で囲んでください。 1→自発的にできた 2→自発的にできたが援助が必要だった 3→自発的にできないが援助があればできた 4→できなかった	着替え（1・2・3・4）　洗　面（1・2・3・4） トイレ（1・2・3・4）　入　浴（1・2・3・4） 食　事（1・2・3・4）　散　歩（1・2・3・4） 炊　事（1・2・3・4）　洗　濯（1・2・3・4） 掃　除（1・2・3・4）　買　物（1・2・3・4）
		その他日常生活で不便に感じたことがありましたら記入してください。	

2．現在（請求日頃）の状況を記入してください。

就労状況	就労している場合	職種（仕事の内容）を記入してください。	
		通勤方法を記入してください。	通勤方法 通勤時間（片道）　　時間　　分
		出勤日数を記入してください。	請求日の前月　　日　請求日の前々月　　日
		仕事中や仕事が終わった時の身体の調子について記入してください。	
	就労していない場合	仕事をしていない（休職している）理由をすべて○で囲んでください。 なお、オを選んだ場合は、具体的な理由を（　）内に記入してください。	ア　体力に自信がないから イ　医師から働くことを止められているから ウ　働く意欲がないから エ　働きたいが適切な職場がないから オ　その他（理由　　　）
日常生活状況		日常生活の制限について、該当する番号を○で囲んでください。 1→自発的にできる 2→自発的にできるが援助が必要である 3→自発的にできないが援助があればできる 4→できない	着替え（1・2・3・4）　洗　面（1・2・3・4） トイレ（1・2・3・4）　入　浴（1・2・3・4） 食　事（1・2・3・4）　散　歩（1・2・3・4） 炊　事（1・2・3・4）　洗　濯（1・2・3・4） 掃　除（1・2・3・4）　買　物（1・2・3・4）
		その他日常生活で不便に感じていることがありましたら記入してください。	
障害者手帳		障害者手帳の交付を受けていますか。	1　受けている　2　受けていない　3　申請中
		交付されている障害者手帳の交付年月日、等級、障害名を記入してください。 その他の手帳の場合は、その名称を（　）内に記入してください。 ※略字の意味 身→身体障害者手帳　療→療育手帳 精→精神障害者保健福祉手帳　他→その他の手帳	①　身・精・療・他（　　　） 昭和・平成・令和　　年　　月　　日（　　級） 障害名（　　　） ②　身・精・療・他（　　　） 昭和・平成・令和　　年　　月　　日（　　級） 障害名（　　　）

上記のとおり相違ないことを申し立てます。

令和　　年　　月　　日　　　　請求者　現住所

代筆者　氏　名　　　　　　　　　　氏　名
請求者からみた続柄（　　　）　　電話番号　―　―

第3　障害等級の判定

障害認定基準に基づく障害の程度の認定については、このガイドラインで定める後記1の「障害等級の目安」を参考としつつ、後記2の「総合評価の際に考慮すべき要素の例」で例示する様々な要素を考慮したうえで、障害認定診査医員（以下「認定医」という。）が専門的な判断に基づき、総合的に判定する（以下「総合評価」という。）。

総合評価では、目安とされた等級の妥当性を確認するとともに、目安だけでは捉えきれない障害ごとの特性に応じた考慮すべき要素を診断書等の記載内容から詳しく診査したうえで、最終的な等級判定を行うこととする。

1．障害等級の目安

診断書の記載項目のうち、「日常生活能力の程度」の評価及び「日常生活能力の判定」の評価の平均を組み合わせたものが、どの障害等級に相当するかの目安を示したもの（表1参照）。

2．総合評価の際に考慮すべき要素の例

診断書の記載項目（「日常生活能力の程度」及び「日常生活能力の判定」を除く。）を5つの分野（現在の病状又は状態像、療養状況、生活環境、就労状況、その他）に区分し、分野ごとに総合評価の際に考慮することが妥当と考えられる要素とその具体的な内容例を示したもの（表2参照）。

3．等級判定にあたっての留意事項

(1) 障害等級の目安

① 「日常生活能力の程度」の評価と「日常生活能力の判定」の平均との整合性が低く、参考となる目安がない場合は、必要に応じて診断書を作成した医師（以下「診断書作成医」という。）に内容確認をするなどしたうえで、「日常生活能力の程度」及び「日常生活能力の判定」以外の診断書等の記載内容から様々な要素を考慮のうえ、総合評価を行う。

② 障害等級の目安が「2級又は3級」など複数になる場合は、総合評価の段階で両方の等級に該当する可能性を踏まえて、慎重に等級判定を行う。

(2) 総合評価の際に考慮すべき要素

① 考慮すべき要素は例示であるので、例示にない診断書の記載内容についても同様に考慮する必要があり、個別の事案に即して総合的に評価する。

② 考慮すべき要素の具体的な内容例では「2級の可能性を検討する」等と記載しているが、例示した内容だけが「2級」の該当条件ではないことに留意する。

③ 考慮すべき要素の具体的な内容例に複数該当する場合であっても、一律に上位等級にするのではなく、個別の事案に即して総合的に評価する。

(3)総合評価

① 診断書の記載内容に基づき個別の事案に即して総合的に評価した結果、目安と異なる等級になることもあり得るが、その場合は、合理的かつ明確な理由をもって判定する。

② 障害認定基準に規定する「症状性を含む器質性精神障害」について総合評価を行う場合は、「精神障害」「知的障害」「発達障害」の区分にとらわれず、各分野の考慮すべき要素のうち、該当又は類似するものを考慮して、評価する。

(4)再認定時の留意事項

ガイドライン施行後の再認定にあたっては、提出された障害状態確認届（診断書）の記載内容から、下位等級への変更や２級（又は３級）非該当への変更を検討する場合は、前回認定時の障害状態確認届（診断書）や照会書類等から認定内容を確認するとともに、受給者や家族、診断書作成医への照会を行うなど、認定に必要な情報収集を適宜行い、慎重に診査を行うよう留意する。

〔表１〕障害等級の目安

程度／判定平均	(5)	(4)	(3)	(2)	(1)
3.5以上	1級	1級 又は 2級			
3.0以上3.5未満	1級 又は 2級	2級	2級		
2.5以上3.0未満		2級	2級 又は 3級		
2.0以上2.5未満		2級	2級 又は 3級	3級 又は 3級非該当	
1.5以上2.0未満			3級	3級 又は 3級非該当	
1.5未満				3級非該当	3級非該当

《表の見方》

1．「程度」は、診断書の記載項目である「日常生活能力の程度」の５段階評価を指す。

2．「判定平均」は、診断書の記載項目である「日常生活能力の判定」の４段階評価について、程度の軽いほうから１～４の数値に置き換え、その平均を算出したものである。

3．表内の「３級」は、障害基礎年金を認定する場合には「２級非該当」と置き換えることとする。

《留意事項》

障害等級の目安は総合評価時の参考とするが、個々の等級判定は、診断書等に記載される他の要素も含めて総合的に評価されるものであり、目安と異なる認定結果となることもあり得ることに留意して用いること。

「2 日常生活能力の判定」

※ 身体的機能の障害に起因する能力の制限（たとえば下肢麻痺による歩行障害など）は、この診断書による評価の対象としません。
※ 「できる」とは、日常生活および社会生活を行う上で、他者による特別の援助（助言や指導）を要さない程度のものを言います。また、「行わない」とは、介護者に過度に依存して自分でできるのに行わない場合や、性格や好き嫌いなどで行わないことは含みません。

（1）適切な食事

※ 嗜癖的な食行動（たとえば拒食症や過食症）をもって「食べられない」とはしない。

1	できる	栄養のバランスを考え適当量の食事を適時にとることができる。（外食、自炊、家族・施設からの提供を問わない）
2	自発的にできるが時には助言や指導を必要とする	だいたいは自主的に適当量の食事を栄養のバランスを考え適時にとることができるが、時に食事内容が貧しかったり不規則になったりするため、家族や施設からの提供、助言や指導を必要とする場合がある。
3	自発的かつ適正に行うことはできないが助言や指導があればできる	1人では、いつも同じものばかりを食べたり、食事内容が極端に貧しかったり、いつも過食になったり、不規則になったりするため、経常的な助言や指導を必要とする。
4	助言や指導をしてもできない若しくは行わない	常に食事へ目を配っておかないと不食、偏食、過食などにより健康を害するほどに適切でない食行動になるため、常時の援助が必要である。

（2）身辺の清潔保持

1	できる	洗面、整髪、ひげ剃り、入浴、着替え等の身体の清潔を保つことが自主的に問題なく行える。必要に応じて（週に1回くらいは）、自主的に掃除や片付けができる。また、TPO（時間、場所、状況）に合った服装ができる。
2	自発的にできるが時には助言や指導を必要とする	身体の清潔を保つことが、ある程度自主的に行える。回数は少ないが、だいたいは自室の清掃や片付けが自主的に行える。身体の清潔を保つためには、週1回程度の助言や指導を必要とする。
3	自発的かつ適正に行うことはできないが助言や指導があればできる	身体の清潔を保つためには、経常的な助言や指導を必要とする。自室の清掃や片付けを自主的にはせず、いつも部屋が乱雑になるため、経常的な助言や指導を必要とする。
4	助言や指導をしてもできない若しくは行わない	常時支援をしても身体の清潔を保つことができなかったり、自室の清掃や片付けをしないか、できない。

（3）金銭管理と買い物

※ 行為嗜癖に属する浪費や強迫的消費行動については、評価しない。

1	できる	金銭を独力で適切に管理し、1ヵ月程度のやりくりが自分でできる。また、1人で自主的に計画的な買い物ができる。
2	おおむねできるが時には助言や指導を必要とする	1週間程度のやりくりはだいたい自分でできるが、時に収入を超える出費をしてしまうため、時として助言や指導を必要とする。
3	助言や指導があればできる	1人では金銭の管理が難しいため、3～4日に一度手渡して買い物に付き合うなど、経常的な援助を必要とする。
4	助言や指導をしてもできない若しくは行わない	持っているお金をすぐに使ってしまうなど、金銭の管理が自分ではできない、あるいは行おうとしない。

- 10 -

（４）通院と服薬

1	できる	通院や服薬の必要性を理解し、自発的かつ規則的に通院・服薬ができる。また、病状や副作用について、主治医に伝えることができる。
2	おおむねできるが時には助言や指導を必要とする	自発的な通院・服薬はできるものの、時に病院に行かなかったり、薬の飲み忘れがある（週に２回以上）ので、助言や指導を必要とする。
3	助言や指導があればできる	飲み忘れや、飲み方の間違い、拒薬、大量服薬をすることがしばしばあるため、経常的な援助を必要とする。
4	助言や指導をしてもできない若しくは行わない	常時の援助をしても通院・服薬をしないか、できない。

（５）他人との意思伝達及び対人関係

※　１対１や集団の場面で、他人の話を聞いたり、自分の意思を相手に伝えたりするコミュニケーション能力や他人と適切につきあう能力に着目する。

1	できる	近所、仕事場等で、挨拶など最低限の人づきあいが自主的に問題なくできる。必要に応じて、誰に対しても自分から話せる。友人を自分からつくり、継続して付き合うことができる。
2	おおむねできるが時には助言や指導を必要とする	最低限の人づきあいはできるものの、コミュニケーションが挨拶や事務的なことにとどまりがちで、友人を自分からつくり、継続して付き合うには、時として助言や指導を必要とする。あるいは、他者の行動に合わせられず、助言がなければ、周囲に配慮を欠いた行動をとることがある。
3	助言や指導があればできる	他者とのコミュニケーションがほとんどできず、近所や集団から孤立しがちである。友人を自分からつくり、継続して付き合うことができず、あるいは周囲への配慮を欠いた行動がたびたびあるため、助言や指導を必要とする。
4	助言や指導をしてもできない若しくは行わない	助言や指導をしても他者とコミュニケーションができないか、あるいはしようとしない。また、隣近所・集団との付き合い・他者との協調性がみられず、友人等とのつきあいがほとんどなく、孤立している。

（６）身辺の安全保持及び危機対応

※　自傷（リストカットなど行為嗜癖的な自傷を含む。）や他害が見られる場合は、自傷・他害行為を本項目の評価対象に含めず、⑩障害の状態のア欄（現在の病状又は状態像）及びイ欄（左記の状態について、その程度・症状・処方薬等の具体的記載）になるべく具体的に記載してください。

1	できる	道具や乗り物などの危険性を理解・認識しており、事故等がないよう適切な使い方・利用ができる（例えば、刃物を自分や他人に危険がないように使用する、走っている車の前に飛び出さない、など）。また、通常と異なる事態となった時（例えば火事や地震など）に他人に援助を求めたり指導に従って行動するなど、適正に対応することができる。
2	おおむねできるが時には助言や指導を必要とする	道具や乗り物などの危険性を理解・認識しているが、時々適切な使い方・利用ができないことがある（例えば、ガスコンロの火を消し忘れる、使用した刃物を片付けるなどの配慮や行動を忘れる）。また、通常と異なる事態となった時に、他人に援助を求めたり指示に従って行動できない時がある。
3	助言や指導があればできる	道具や乗り物などの危険性を十分に理解・認識できておらず、それらの使用・利用において、危険に注意を払うことができなかったり、頻回に忘れてしまう。また、通常と異なる事態となった時に、パニックになり、他人に援助を求めたり、指示に従って行動するなど、適正に対応することができないことが多い。
4	助言や指導をしてもできない若しくは行わない	道具や乗り物などの危険性を理解・認識しておらず、周囲の助言や指導があっても、適切な使い方・利用ができない、あるいはしようとしない。また、通常と異なる事態となった時に、他人に援助を求めたり、指示に従って行動するなど、適正に対応することができない。

- 11 -

（7）社会性

1	できる	社会生活に必要な手続き（例えば行政機関の各種届出や銀行での金銭の出し入れ等）や公共施設・交通機関の利用にあたって、基本的なルール（常識化された約束事や手順）を理解し、周囲の状況に合わせて適切に行動できる。
2	おおむねできるが時には助言や指導を必要とする	社会生活に必要な手続きや公共施設・交通機関の利用について、習慣化されたものであれば、各々の目的や基本的なルール、周囲の状況に合わせた行動がおおむねできる。だが、急にルールが変わったりすると、適正に対応することができないことがある。
3	助言や指導があればできる	社会生活に必要な手続きや公共施設・交通機関の利用にあたって、各々の目的や基本的なルールの理解が不十分であり、経常的な助言や指導がなければ、ルールを守り、周囲の状況に合わせた行動ができない。
4	助言や指導をしてもできない若しくは行わない	社会生活に必要な手続きや公共施設・交通機関の利用にあたって、その目的や基本的なルールを理解できない、あるいはしようとしない。そのため、助言・指導などの支援をしても、適切な行動ができない、あるいはしようとしない。

- 12 -

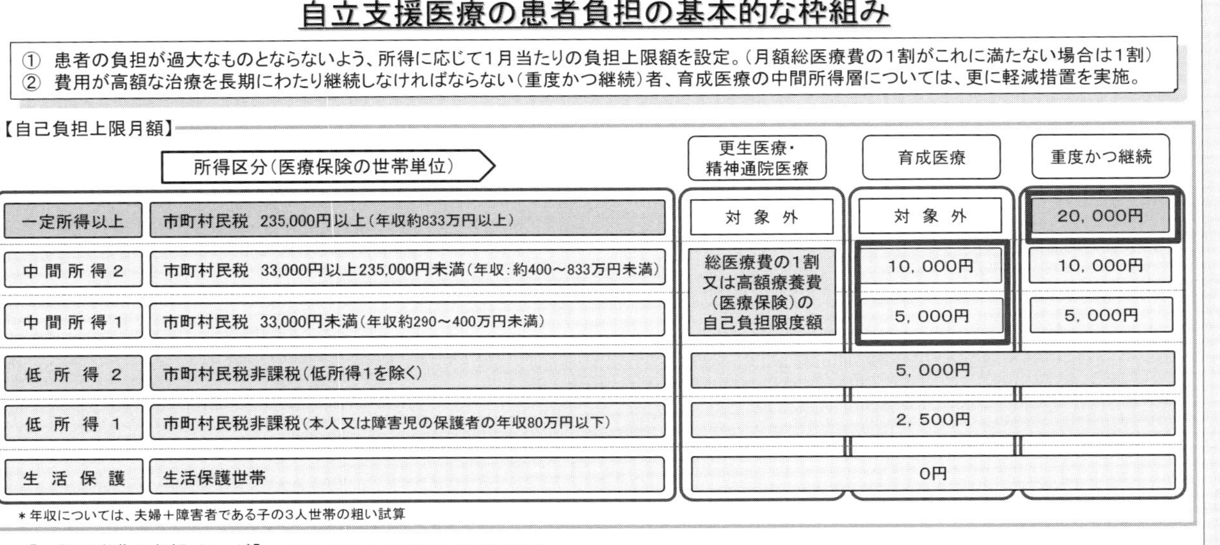

自立支援医療の患者負担の基本的な枠組み

① 患者の負担が過大なものとならないよう、所得に応じて1月当たりの負担上限額を設定。（月額総医療費の1割がこれに満たない場合は1割）
② 費用が高額な治療を長期にわたり継続しなければならない（重度かつ継続）者、育成医療の中間所得層については、更に軽減措置を実施。

【自己負担上限月額】

所得区分（医療保険の世帯単位）		更生医療・精神通院医療	育成医療	重度かつ継続
一定所得以上	市町村民税 235,000円以上（年収約833万円以上）	対象外	対象外	20,000円
中間所得2	市町村民税 33,000円以上235,000円未満（年収：約400～833万円未満）	総医療費の1割又は高額療養費（医療保険）の自己負担限度額	10,000円	10,000円
中間所得1	市町村民税 33,000円未満（年収約290～400万円未満）		5,000円	5,000円
低所得2	市町村民税非課税（低所得1を除く）	5,000円		
低所得1	市町村民税非課税（本人又は障害児の保護者の年収80万円以下）	2,500円		
生活保護	生活保護世帯	0円		

＊年収については、夫婦＋障害者である子の3人世帯の粗い試算

【月額医療費の負担イメージ】＊医療保険加入者（生活保護世帯を除く）

医療保険（7割）	自立支援医療費（月額医療費－医療保険－患者負担）	患者負担（1割又は負担上限額）

「重度かつ継続」の範囲

○疾病、症状等から対象となる者
［更生・育成］腎臓機能・小腸機能・免疫機能・心臓機能障害（心臓移植後の抗免疫療法に限る）・肝臓の機能障害（肝臓移植後の抗免疫療法に限る）の者
［精神通院］①統合失調症、躁うつ病・うつ病、てんかん、認知症等の脳機能障害、薬物関連障害（依存症等）の者
②精神医療に一定以上の経験を有する医師が判断した者
○疾病等に関わらず、高額な費用負担が継続することから対象となる者
［更生・育成・精神通院］ 医療保険の多数回該当の者

負担上限月額の経過的特例措置 ※上記の太枠部分

育成医療の中間所得1，2及び「重度かつ継続」の一定所得以上の負担上限月額については、令和6年3月31日までの経過的特例措置

令和４年

年齢	死亡率	生存数	死亡数	定常人口		平均余命
x	$_nq_x$	l_x	$_nd_x$	$_nL_x$	T_x	$\mathring{e}_x$
0（週）	0.00064	100 000	64	1 917	8 105 352	81.05
1	0.00007	99 936	7	1 916	8 103 435	81.09
2	0.00005	99 928	5	1 916	8 101 518	81.07
3	0.00006	99 923	6	1 916	8 099 602	81.06
4	0.00022	99 917	22	8 987	8 097 686	81.04
2（月）	0.00016	99 895	16	8 324	8 088 699	80.97
3	0.00030	99 879	30	24 966	8 080 375	80.90
6	0.00033	99 849	33	49 916	8 055 409	80.68
0（年）	0.00184	100 000	184	99 859	8 105 352	81.05
1	0.00024	99 816	24	99 803	8 005 493	80.20
2	0.00017	99 792	17	99 784	7 905 690	79.22
3	0.00012	99 775	12	99 769	7 805 906	78.23
4	0.00009	99 763	9	99 759	7 706 137	77.24
5	0.00008	99 755	8	99 751	7 606 378	76.25
6	0.00007	99 747	7	99 744	7 506 627	75.26
7	0.00007	99 740	7	99 737	7 406 884	74.26
8	0.00006	99 734	6	99 731	7 307 147	73.27
9	0.00006	99 728	6	99 725	7 207 416	72.27
10	0.00006	99 722	6	99 719	7 107 692	71.28
11	0.00007	99 716	7	99 712	7 007 973	70.28
12	0.00008	99 709	8	99 705	6 908 260	69.28
13	0.00010	99 701	10	99 696	6 808 555	68.29
14	0.00013	99 691	13	99 685	6 708 859	67.30
15	0.00017	99 678	17	99 670	6 609 175	66.31
16	0.00022	99 660	22	99 650	6 509 505	65.32
17	0.00027	99 638	27	99 625	6 409 855	64.33
18	0.00032	99 611	32	99 596	6 310 230	63.35
19	0.00037	99 579	37	99 561	6 210 635	62.37
20	0.00043	99 542	43	99 521	6 111 073	61.39
21	0.00048	99 499	48	99 476	6 011 552	60.42
22	0.00050	99 452	49	99 427	5 912 077	59.45
23	0.00049	99 402	49	99 378	5 812 650	58.48
24	0.00047	99 354	47	99 330	5 713 272	57.50
25	0.00046	99 307	45	99 284	5 613 942	56.53
26	0.00046	99 261	45	99 239	5 514 658	55.56
27	0.00047	99 216	47	99 193	5 415 419	54.58
28	0.00048	99 169	48	99 145	5 316 226	53.61
29	0.00050	99 121	49	99 097	5 217 081	52.63
30	0.00052	99 072	51	99 047	5 117 984	51.66
31	0.00054	99 021	54	98 994	5 018 938	50.69
32	0.00057	98 967	56	98 939	4 919 943	49.71
33	0.00060	98 911	60	98 881	4 821 004	48.74
34	0.00064	98 851	63	98 820	4 722 123	47.77
35	0.00068	98 788	67	98 755	4 623 303	46.80
36	0.00072	98 721	71	98 686	4 524 549	45.83
37	0.00077	98 650	76	98 613	4 425 862	44.86
38	0.00083	98 574	82	98 534	4 327 250	43.90
39	0.00090	98 492	88	98 449	4 228 716	42.93
40	0.00097	98 404	96	98 357	4 130 268	41.97
41	0.00105	98 308	104	98 257	4 031 911	41.01
42	0.00114	98 205	112	98 149	3 933 654	40.06
43	0.00122	98 093	120	98 033	3 835 505	39.10
44	0.00130	97 973	128	97 910	3 737 471	38.15
45	0.00142	97 845	139	97 777	3 639 561	37.20
46	0.00159	97 706	156	97 630	3 541 784	36.25
47	0.00180	97 551	176	97 465	3 444 154	35.31
48	0.00201	97 375	196	97 279	3 346 690	34.37
49	0.00221	97 180	215	97 074	3 249 410	33.44

注：$_nq_x$等の生命表諸関数の定義については、「参考資料１」を参照。

簡易生命表（男）

年齢 x	死亡率 $_nq_x$	生存数 l_x	死亡数 $_nd_x$	定常人口 $_nL_x$	定常人口 T_x	平均余命 $\mathring{e}_x$
50	0.00242	96 965	235	96 849	3 152 337	32.51
51	0.00269	96 730	261	96 602	3 055 487	31.59
52	0.00300	96 469	290	96 327	2 958 886	30.67
53	0.00333	96 180	320	96 022	2 862 559	29.76
54	0.00368	95 859	353	95 686	2 766 537	28.86
55	0.00404	95 507	386	95 316	2 670 851	27.97
56	0.00442	95 120	421	94 913	2 575 535	27.08
57	0.00482	94 700	457	94 475	2 480 622	26.19
58	0.00527	94 243	497	93 998	2 386 148	25.32
59	0.00581	93 746	545	93 478	2 292 149	24.45
60	0.00645	93 202	601	92 906	2 198 671	23.59
61	0.00715	92 601	662	92 275	2 105 765	22.74
62	0.00787	91 939	723	91 582	2 013 490	21.90
63	0.00862	91 216	786	90 828	1 921 907	21.07
64	0.00947	90 429	856	90 007	1 831 079	20.25
65	0.01041	89 573	932	89 114	1 741 072	19.44
66	0.01147	88 641	1 017	88 140	1 651 959	18.64
67	0.01268	87 624	1 111	87 077	1 563 818	17.85
68	0.01405	86 514	1 215	85 915	1 476 741	17.07
69	0.01565	85 298	1 335	84 641	1 390 826	16.31
70	0.01742	83 963	1 463	83 243	1 306 184	15.56
71	0.01936	82 501	1 597	81 714	1 222 941	14.82
72	0.02146	80 903	1 736	80 047	1 141 228	14.11
73	0.02361	79 167	1 869	78 244	1 061 181	13.40
74	0.02587	77 298	2 000	76 310	982 937	12.72
75	0.02843	75 298	2 141	74 240	906 628	12.04
76	0.03137	73 158	2 295	72 024	832 387	11.38
77	0.03474	70 863	2 462	69 646	760 364	10.73
78	0.03863	68 401	2 643	67 095	690 718	10.10
79	0.04306	65 758	2 832	64 358	623 623	9.48
80	0.04777	62 926	3 006	61 438	559 265	8.89
81	0.05320	59 921	3 188	58 342	497 827	8.31
82	0.05968	56 733	3 386	55 057	439 484	7.75
83	0.06724	53 347	3 587	51 570	384 428	7.21
84	0.07592	49 760	3 778	47 886	332 858	6.69
85	0.08584	45 982	3 947	44 021	284 972	6.20
86	0.09705	42 035	4 079	40 004	240 951	5.73
87	0.10946	37 955	4 155	35 882	200 947	5.29
88	0.12323	33 801	4 165	31 716	165 065	4.88
89	0.13812	29 636	4 093	27 579	133 349	4.50
90	0.15399	25 542	3 933	23 559	105 770	4.14
91	0.17173	21 609	3 711	19 732	82 210	3.80
92	0.19110	17 898	3 420	16 161	62 478	3.49
93	0.21211	14 478	3 071	12 911	46 317	3.20
94	0.23485	11 407	2 679	10 034	33 406	2.93
95	0.25937	8 728	2 264	7 561	23 372	2.68
96	0.28573	6 464	1 847	5 506	15 811	2.45
97	0.31396	4 617	1 450	3 861	10 305	2.23
98	0.34404	3 168	1 090	2 595	6 444	2.03
99	0.37596	2 078	781	1 664	3 849	1.85
100	0.40965	1 297	531	1 013	2 186	1.69
101	0.44500	765	341	582	1 173	1.53
102	0.48183	425	205	313	591	1.39
103	0.51995	220	114	157	278	1.26
104	0.55906	106	59	73	121	1.15
105～	1.00000	47	47	48	48	1.04

巻末資料3-2 P85「令和４年簡易生命表（女性）」

令和 4 年

年齢	死亡率	生存数	死亡数	定常人口		平均余命
x	$_nq_x$	l_x	$_nd_x$	$_nL_x$	T_x	$\mathring{e}_x$
0（週）	0.00056	100 000	56	1 917	8 708 527	87.09
1	0.00008	99 944	8	1 917	8 706 610	87.12
2	0.00004	99 936	4	1 917	8 704 694	87.10
3	0.00007	99 932	7	1 916	8 702 777	87.09
4	0.00016	99 925	16	8 988	8 700 861	87.07
2（月）	0.00013	99 909	13	8 325	8 691 873	87.00
3	0.00028	99 895	28	24 970	8 683 548	86.93
6	0.00030	99 867	30	49 925	8 658 578	86.70
0（年）	0.00163	100 000	163	99 875	8 708 527	87.09
1	0.00024	99 837	23	99 824	8 608 653	86.23
2	0.00016	99 813	16	99 806	8 508 829	85.25
3	0.00011	99 797	11	99 792	8 409 023	84.26
4	0.00008	99 787	8	99 783	8 309 231	83.27
5	0.00006	99 779	6	99 776	8 209 449	82.28
6	0.00006	99 773	6	99 770	8 109 673	81.28
7	0.00006	99 767	6	99 764	8 009 903	80.29
8	0.00006	99 761	6	99 758	7 910 139	79.29
9	0.00006	99 755	6	99 752	7 810 381	78.30
10	0.00006	99 750	5	99 747	7 710 629	77.30
11	0.00006	99 744	6	99 741	7 610 882	76.30
12	0.00007	99 738	7	99 735	7 511 141	75.31
13	0.00008	99 732	8	99 728	7 411 405	74.31
14	0.00011	99 723	11	99 718	7 311 678	73.32
15	0.00014	99 712	14	99 706	7 211 960	72.33
16	0.00016	99 699	16	99 691	7 112 254	71.34
17	0.00018	99 682	18	99 673	7 012 563	70.35
18	0.00020	99 664	20	99 654	6 912 890	69.36
19	0.00023	99 644	23	99 633	6 813 236	68.38
20	0.00025	99 621	25	99 609	6 713 603	67.39
21	0.00026	99 596	26	99 583	6 613 994	66.41
22	0.00027	99 570	27	99 557	6 514 411	65.43
23	0.00027	99 543	27	99 530	6 414 854	64.44
24	0.00026	99 517	26	99 503	6 315 324	63.46
25	0.00026	99 490	26	99 477	6 215 821	62.48
26	0.00027	99 464	26	99 451	6 116 344	61.49
27	0.00027	99 437	27	99 424	6 016 893	60.51
28	0.00028	99 410	28	99 397	5 917 469	59.53
29	0.00030	99 382	30	99 368	5 818 073	58.54
30	0.00032	99 353	32	99 337	5 718 705	57.56
31	0.00033	99 321	33	99 305	5 619 368	56.58
32	0.00034	99 288	33	99 272	5 520 064	55.60
33	0.00035	99 255	35	99 238	5 420 792	54.61
34	0.00038	99 220	37	99 202	5 321 554	53.63
35	0.00041	99 183	41	99 163	5 222 352	52.65
36	0.00045	99 142	45	99 120	5 123 189	51.68
37	0.00048	99 098	48	99 074	5 024 068	50.70
38	0.00051	99 050	51	99 025	4 924 994	49.72
39	0.00055	98 999	55	98 972	4 825 969	48.75
40	0.00060	98 945	59	98 916	4 726 997	47.77
41	0.00065	98 886	64	98 854	4 628 081	46.80
42	0.00070	98 822	70	98 787	4 529 227	45.83
43	0.00076	98 752	75	98 715	4 430 440	44.86
44	0.00082	98 677	81	98 636	4 331 725	43.90
45	0.00089	98 595	88	98 552	4 233 089	42.93
46	0.00098	98 507	97	98 460	4 134 537	41.97
47	0.00110	98 410	108	98 357	4 036 077	41.01
48	0.00123	98 302	121	98 243	3 937 720	40.06
49	0.00136	98 182	133	98 116	3 839 477	39.11

注：$_nq_x$等の生命表諸関数の定義については、「参考資料１」を参照。

簡易生命表（女）

年齢	死亡率	生存数	死亡数	定常人口		平均余命
x	$_nq_x$	l_x	$_nd_x$	$_nL_x$	T_x	$\mathring{e}_x$
50	0.00146	98 049	143	97 978	3 741 361	38.16
51	0.00157	97 905	153	97 829	3 643 383	37.21
52	0.00168	97 752	164	97 671	3 545 554	36.27
53	0.00182	97 588	177	97 500	3 447 883	35.33
54	0.00197	97 410	192	97 315	3 350 383	34.39
55	0.00213	97 218	207	97 116	3 253 068	33.46
56	0.00227	97 011	221	96 902	3 155 953	32.53
57	0.00242	96 790	234	96 674	3 059 051	31.60
58	0.00257	96 556	248	96 433	2 962 377	30.68
59	0.00274	96 308	263	96 177	2 865 943	29.76
60	0.00294	96 044	282	95 905	2 769 766	28.84
61	0.00320	95 762	306	95 612	2 673 861	27.92
62	0.00351	95 456	335	95 291	2 578 249	27.01
63	0.00384	95 121	365	94 941	2 482 958	26.10
64	0.00416	94 756	394	94 561	2 388 017	25.20
65	0.00446	94 362	421	94 154	2 293 456	24.30
66	0.00480	93 941	451	93 718	2 199 302	23.41
67	0.00524	93 490	490	93 248	2 105 584	22.52
68	0.00577	92 999	537	92 735	2 012 336	21.64
69	0.00636	92 463	588	92 173	1 919 601	20.76
70	0.00701	91 874	644	91 557	1 827 428	19.89
71	0.00777	91 230	709	90 881	1 735 871	19.03
72	0.00871	90 521	788	90 134	1 644 989	18.17
73	0.00977	89 733	876	89 302	1 554 855	17.33
74	0.01091	88 857	969	88 380	1 465 553	16.49
75	0.01219	87 887	1 071	87 361	1 377 173	15.67
76	0.01363	86 816	1 184	86 234	1 289 812	14.86
77	0.01536	85 633	1 315	84 987	1 203 578	14.06
78	0.01747	84 317	1 473	83 595	1 118 591	13.27
79	0.02001	82 844	1 658	82 032	1 034 996	12.49
80	0.02292	81 186	1 861	80 274	952 964	11.74
81	0.02635	79 325	2 090	78 301	872 691	11.00
82	0.03041	77 235	2 348	76 084	794 390	10.29
83	0.03515	74 887	2 632	73 595	718 306	9.59
84	0.04061	72 255	2 934	70 813	644 711	8.92
85	0.04685	69 320	3 247	67 723	573 898	8.28
86	0.05400	66 073	3 568	64 316	506 175	7.66
87	0.06237	62 505	3 899	60 584	441 859	7.07
88	0.07225	58 606	4 234	56 517	381 275	6.51
89	0.08364	54 372	4 547	52 122	324 758	5.97
90	0.09644	49 824	4 805	47 440	272 636	5.47
91	0.11027	45 020	4 964	42 547	225 196	5.00
92	0.12588	40 055	5 042	37 538	182 649	4.56
93	0.14442	35 013	5 057	32 483	145 111	4.14
94	0.16640	29 956	4 985	27 454	112 629	3.76
95	0.19216	24 972	4 799	22 549	85 175	3.41
96	0.21731	20 173	4 384	17 940	62 626	3.10
97	0.24340	15 789	3 843	13 819	44 687	2.83
98	0.27042	11 946	3 230	10 278	30 868	2.58
99	0.29831	8 716	2 600	7 364	20 590	2.36
100	0.32703	6 116	2 000	5 068	13 226	2.16
101	0.35652	4 116	1 467	3 341	8 158	1.98
102	0.38671	2 648	1 024	2 103	4 817	1.82
103	0.41750	1 624	678	1 260	2 714	1.67
104	0.44881	946	425	716	1 454	1.54
105 ～	1.00000	521	521	738	738	1.41

- 11 -

巻末資料4-1 P99「所得控除　その他の控除一覧」

控除の種類	概要
雑損控除	住宅家財等について災害又は盗難若しくは横領による損失が生じた場合又は災害関連支出の金額がある場合に控除
医療費控除	納税者又は納税者と生計を一にする配偶者その他の親族の医療費を支払った場合に控除
社会保険料控除	社会保険料を支払った場合に控除
小規模企業共済等掛金控除	小規模企業共済掛金、確定拠出年金に係る企業型年金加入者掛金及び個人型年金加入者掛金並びに心身障害者扶養共済掛金を支払った場合に控除
生命保険料控除	一般生命保険料、介護医療保険料及び個人年金保険料を支払った場合に控除
地震保険料控除	地震保険料を支払った場合に控除
寄附金控除	特定寄附金を支出した場合に控除

	控除額の計算方式
	次のいずれか多いほうの金額 ①（災害損失の金額＋災害関連支出の金額）－年間所得金額× 10％ ②災害関連支出の金額－５万円
	支払った医療費の額－［次のいずれか低いほうの金額 ①110万円 ②２年間所得金額× 5％］＝医療費控除額（最高限度額 200 万円）
	支払った社会保険料の額
	支払った掛金の額
	(1) 平成 24 年１月１日以後に締結した保険契約等（新契約）に係る生命保険料控除 ①支払った一般生命保険料に応じて一定額を控除（最高限度額４万円） ②支払った介護医療保険料に応じて一定額を控除（最高限度額４万円） ③支払った個人年金保険料に応じて一定額を控除（最高限度額４万円） (2) 平成 23 年 12 月 31 日以前に締結した保険契約等（旧契約）に係る生命保険料控除 ①支払った一般生命保険料に応じて一定額を控除（最高限度額５万円） ②支払った個人年金保険料に応じて一定額を控除（最高限度額５万円） ※各保険料控除の合計適用限度額を 12 万円とする。
	支払った地震保険料の全額を控除（最高限度額５万円） ※①平成 18 年 12 月 31 日までに締結した長期損害保険契約等（地震保険料控除の適用を受けるものを除く。）に係る保険料等は従前どおり適用する（最高限度額１万 5,000 円）。 ②地震保険料控除と上記①を適用する場合には合わせて最高５万円とする。
	［次のいずれか低いほうの金額 ①特定寄附金の合計額 ②年間所得金額× 40％］－ 2,000 円＝寄附金控除額

巻末資料5-1 P166「加入時の年齢別・障害者扶養共済の掛金一覧」

加入時年齢	保険料（月額）	旧保険料に対する比率（新規加入者）	保険料（月額）	旧保険料に対する比率（既存加入者）	旧保険料（月額）
35歳未満	9,300円	2.7倍	5,600円	1.6倍	3,500円
35歳以上 40歳未満	1万1,400円	2.5倍	6,900円	1.5倍	4.500円
40歳以上 45歳未満	1万4,300円	2.4倍	8,700円	1.5倍	6,000円
45歳以上 50歳未満	1万7,300円	2.3倍	1万600円	1.4倍	7,400円
50歳以上 55歳未満	1万8,800円	2.1倍	1万1,600円	1.3倍	8,900円
55歳以上 60歳未満	2万700円	1.9倍	1万2,800円	1.2倍	1万800円
60歳以上 65歳未満	2万3,300円	1.8倍	1万4,500円	1.1倍	1万3,300円

2008年の第4次改正の引き上げ幅を示したもの。

▼表の見方

・左から2列目「保険料（月額）」が現在の掛金

・右端の「旧保険料（月額）」が第3次改正（1996年）のときの掛金月額

・上記の2つを比較して引き上げ率を出したのが「旧保険料に対する比率」の欄。新規加入者の場合は1.8倍～2.7倍、既存加入者の場合は1.1～1.6倍ほど掛金が上がっていることがわかる

（「心身障害者扶養保険事業に関する検討会報告書」参考資料17ページ）

巻末資料5-2 P173「障害者扶養共済に加入するおすすめの年齢」

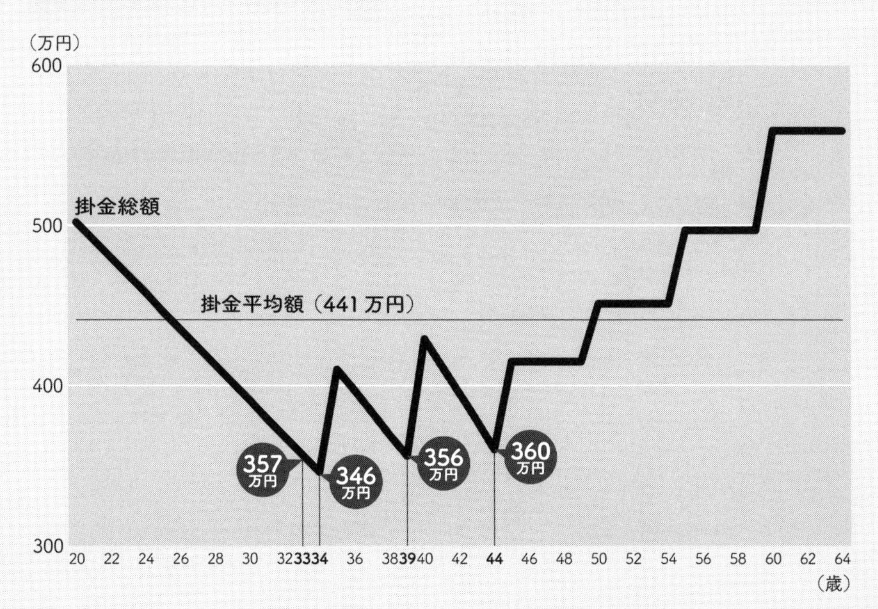

※金額の千円未満は四捨五入して切り捨て

（別紙）

【保佐，補助用】

代　理　行　為　目　録

※　下記の行為のうち，必要な代理行為に限り，該当する部分の□にチェック又は必要な事項を記載してください（包括的な代理権の付与は認められません。）。

※　内容は，本人の同意を踏まえた上で，最終的に家庭裁判所が判断します。

1　財産管理関係

(1)　不動産関係

□　①　本人の不動産に関する〔□ 売却　□ 担保権設定　□ 賃貸　□ 警備　□＿＿＿＿〕契約の締結，更新，変更及び解除

□　②　他人の不動産に関する〔□ 購入　□ 借地　□ 借家〕契約の締結，更新，変更及び解除

□　③　住居等の〔□ 新築　□ 増改築　□ 修繕（樹木の伐採等を含む。）　□ 解体　□ ＿＿＿＿〕に関する請負契約の締結，変更及び解除

□　④　本人又は他人の不動産内に存する本人の動産の処分

□　⑤　＿＿＿＿＿＿＿＿＿＿＿＿＿＿＿＿

(2)　預貯金等金融関係

□　①　預貯金及び出資金に関する金融機関等との一切の取引（解約（脱退）及び新規口座の開設を含む。）

※　一部の口座に限定した代理権の付与を求める場合には，③に記載してください。

□　②　預貯金及び出資金以外の本人と金融機関との取引
〔□ 貸金庫取引　□ 証券取引　□ 保護預かり取引　□ 為替取引　□ 信託取引
□ ＿＿＿＿〕

□　③　＿＿＿＿＿＿＿＿＿＿＿＿＿＿＿＿

(3)　保険に関する事項

□　①　保険契約の締結，変更及び解除

□　②　保険金及び賠償金の請求及び受領

(4)　その他

□　①　以下の収入の受領及びこれに関する諸手続
〔□ 家賃，地代　□ 年金・障害手当・生活保護その他の社会保障給付
□ 臨時給付金その他の公的給付　□ 配当金　□ ＿＿＿＿〕

□　②　以下の支出及びこれに関する諸手続
〔□ 家賃，地代　□ 公共料金　□ 保険料　□ ローンの返済金　□ 管理費等
□ 公租公課　□ ＿＿＿＿〕

□　③　情報通信（携帯電話，インターネット等）に関する契約の締結，変更，解除及び費用の支払

□　④　本人の負担している債務に関する弁済合意及び債務の弁済（そのための調査を含む。）

□　⑤　本人が現に有する債権の回収（そのための調査・交渉を含む。）

□　⑥　＿＿＿＿＿＿＿＿＿＿＿＿＿＿＿＿

1　　　㊵－1

2　相続関係

※　審判手続，調停手続及び訴訟手続が必要な方は，４⑤又は⑥についても検討してください。

□　①　相続の承認又は放棄

□　②　贈与又は遺贈の受諾

□　③　遺産分割又は単独相続に関する諸手続

□　④　遺留分減殺請求又は遺留分侵害額請求に関する諸手続

□　⑤　＿＿＿＿＿＿＿＿＿＿＿＿＿＿＿＿

3　身上保護関係

□　①　介護契約その他の福祉サービス契約の締結，変更，解除及び費用の支払並びに還付金等の受領

□　②　介護保険，要介護認定，障害支援区分認定，健康保険等の各申請（各種給付金及び還付金の申請を含む。）及びこれらの認定に関する不服申立て

□　③　福祉関係施設への入所に関する契約（有料老人ホームの入居契約等を含む。）の締結，変更，解除及び費用の支払並びに還付金等の受領

□　④　医療契約及び病院への入院に関する契約の締結，変更，解除及び費用の支払並びに還付金等の受領

□　⑤　＿＿＿＿＿＿＿＿＿＿＿＿＿＿＿＿

4　その他

□　①　税金の申告，納付，更正，還付及びこれらに関する諸手続

□　②　登記・登録の申請

□　③　個人番号（マイナンバー）に関する諸手続

□　④　住民票の異動に関する手続

□　⑤　家事審判手続，家事調停手続（家事事件手続法２４条２項の特別委任事項を含む。），訴訟手続（民事訴訟法５５条２項の特別委任事項を含む。），民事調停手続（非訟事件手続法２３条２項の特別委任事項を含む。）及び破産手続（免責手続を含む。）

※　保佐人又は補助人が上記各手続について手続代理人又は訴訟代理人となる資格を有する者であるときに限ります。

□　⑥　⑤の各手続について，手続代理人又は訴訟代理人となる資格を有する者に委任をすること

□　⑦　＿＿＿＿＿＿＿＿＿＿＿＿＿＿＿＿

5　関連手続

□　①　以上の各事務の処理に必要な費用の支払

□　②　以上の各事務に関連する一切の事項（戸籍謄抄本・住民票の交付請求，公的な届出，手続等を含む。）

2　　　　⑩－２

巻末資料8-1 P267「UR賃貸住宅の収入緩和要件」

家賃改定特別措置の対象となる世帯は、家賃改定により家賃が引上げとなる世帯で、家賃改定の時点において（1）の所得要件を満たし、かつ（2）の世帯要件のいずれかに該当する世帯です。

（1）所得要件

世帯全員の合計所得月額（(年間世帯総所得金額－控除額合計）÷ 12）が15万8,000円以下（公営住宅法の入居収入基準（収入分位25％以下））（※）であること。

（2）世帯要件

下記のいずれかに該当する世帯であること。

・高齢者世帯

主たる生計維持者（世帯の中で最も収入の多い方を指します。）の年齢が満65歳以上である世帯

・子育て世帯

①主たる生計維持者が配偶者のいない方で、現に20歳未満の子を扶養している世帯

②同居する18歳未満の子を扶養している世帯（妊娠中を含みます）

・心身障がい者世帯

①身体障害者手帳の交付を受け、手帳に記載されている障がいの程度が1級から4級の方を含む世帯

②精神障害者保健福祉手帳における1級又は2級に相当する程度の精神障がい者である方を含む世帯

③前記②の精神障がいの程度に相当する知的障がいである方を含む世帯

・生活保護世帯

生活保護法による保護を受けている世帯（住宅扶助を受給している世帯に限ります。）

（※）ただし、令和2年度以降に実施した継続家賃改定に伴う特別措置は合計所得月額が一定の所得以下（収入分位50％以下＝25万9,000円以下）の世帯を対象としています。

（UR都市機構「UR賃貸住宅の家賃減額制度Q&A」家賃改定特別措置）

前園進也
まえぞの・しんや
弁護士（埼玉弁護士会・サニープレイス法律事務所所属）。1974年生まれ。2011年に弁護士登録。わが子が3歳の時に知的障害と診断されて以降、障害分野に特化した弁護士として活動中。ホームページ（https://legaladvice.jp）やYouTubeチャンネル「障害者家族サポートチャンネル」などで、知的障害児の親である弁護士としての視点から、障害者の親やきょうだいが知っておきたい法律や制度について幅広く情報を発信している。著書に『誰も教えてくれない障害者扶養共済』（Amazon Kindle 、2021）。

本書の内容は2023年1月現在の法令（改正情報を含む）や制度をもとに記載しています。出版後の改正などにより、記載の内容に変更が生じることもありますので、ご注意ください。

障害者の親亡き後プランパーフェクトガイド

障害のある子をもつ親が安心して先立つためにも

著者……………………前園進也
発行……………………2024年4月15日［第一版第一刷］

発行所…………………ポット出版プラス
150-0001 東京都渋谷区神宮前2-33-18 #303
電話　03-3478-1774　ファックス　03-3402-5558
ウェブサイト　https://www.pot.co.jp/
電子メールアドレス　books@pot.co.jp
印刷・製本…………シナノ印刷株式会社
編集……………………沢辺均　本多伸行　松村小悠夏
ブックデザイン……山田信也（ヤマダデザイン室）

ISBN978-4-86642-026-4　C0036

The perfect guide of planning how to live disabled people after their parents died
by Shinya Maezono
First published in Tokyo Japan, 15. 4, 2024
by Pot Plus Publishing
#303 2-33-18 Jingumae Shibuya-ku
Tokyo,150-0001 JAPAN
http://www.pot.co.jp/
E-Mail: books@pot.co.jp

ISBN978-4-86642-026-4　C0036

本文●ラフクリーム琥珀N・四六判・Y目・71.5kg（0.13）／スミ
カバー●ミルトGAスピリット・スノーホワイト・四六判・Y目・110kg／スミ＋TOYO10301／グロスPP
帯●NTラシャ・黄色・四六判・Y目・100kg／スミ
表紙●ミルトGAスピリット・ホワイト・四六判・Y目・180kg／TOYO10301
使用書体●筑紫明朝M＋筑紫Aオールド明朝M　筑紫A丸ゴシック
2024-0101-2.0